O'R TYWYLLWCH

— IRWEN ROBERTS —

Gwasg
Gwynedd

Argraffiad Cyntaf — Rhagfyr 1994

© Irwen Roberts 1994

ISBN 0 86074 112 5

Dymuna'r cyhoeddwyr gydnabod cymorth
Adran Ddylunio y Cyngor Llyfrau Cymraeg.

Cyhoeddwyd ac argraffwyd gan Wasg Gwynedd, Caernarfon.

'If you have a secret you're alone.'
ALAN BENNETT — *An Englishman Abroad*

1

Gwylio'r fodrwy yn diflannu yn yr ewyn gwyn, yr wylan yn hofran gan ddisgwyl briwsion ond mi gafodd ei siomi heddiw. Ni fu erioed gynhaliaeth yn y cylch melyn yna o fetel ffals.

O'r diwedd, rhyddid, medda Fo.
Tybed? medda Finna.
Amsar i daflu dy freichia ar led a diolch dy fod yn fyw.
Ella.
Edrych o dy gwmpas, Siw.

Dyna Fo'n 'y nharo i yng nghanol fy nhalcen hefo un gair. Does neb wedi ngalw i'n Siw ers y tro dwaetha y gwelais i Mam a Nhad. Susan o'n i i bawb yn Llundain. Susan efo 'w' hir a finna'n meddwl fod hynny'n swnio'n bwysig a chrachlyd — y ffŵl i mi.

Dydi'r hen gastall ddim yn gneud i ti deimlo'n saff, dwad? Mi fydda'n arfar gneud.

Gorthrymus, clostroffobaidd ydi'r hen gastell cadarn heddiw. Llwyd a thrwchus y muriau sy'n cario twristiaid swnllyd o'i gwmpas a'r rheini'n gweiddi a chwerthin yn ceisio gwneud yn siŵr eu bod yn mwynhau eu gwyliau.

Pwyso fy nghluniau ar wal amddiffyn y môr. Oerni'r garreg yn rhoi esgus i mi grynu, ond ro'n i'n crynu cyn cyffwrdd y wal. Crynu fel dyn y trio taflu arfer blynyddoedd o ddibynnu ar gyffuriau dros ei ysgwydd. Lledu fy nwylo, oedd er fy ngwaethaf wedi dal yr haul, ar ben y wal lydan, lwyd. Rhimyn tenau o groen gwyn ar un bys. Mi ga i wared o'r rhimyn gwyn hefyd cyn diwedd yr ha ond fydd hynny ddim mor hawdd â thaflu'r fodrwy i'r môr.

Ma hi'n braf yn fanma, medda Fo.
Bydd ddistaw wir, medda Finna'n ddigon cas.
Dim ond trio helpu, medda Fo yn bwdlyd, ond mi wyddwn na fedrai gau ei geg yn hir. Ddylwn i ddim harthu arno Fo o hyd. Mae pob dim mae O'n ei ddeud yn gwneud synnwyr — gormod o synnwyr, ond mae arna i angen amser i ddidoli petha.

Mae mhen i'n llawn o feddylia'n mynd a dod ar draws ei gilydd fel tonna'r môr yma o mlaen i, yr ewyn ar eu brig yn dwr gyda'i gilydd ambell dro, yna daw un don fawr o ganol pwll llonydd i chwalu'r tonnau bychan a phoeri ei halen ar y traeth. Bryd hynny daw dagrau hallt i bylu synnwyr ac i losgi yn hollt y briwiau.
Pam y dois yn ôl i'r hen le, dyn a ŵyr. Efallai i mi feddwl y byddai'r cloc wedi aros yn ei unfan yma ac y medrwn inna wthio'n slei yn ôl y tu cefn i ddeng mlynedd oer, ofnus, drist. Ond mi ddylwn wybod na fedrwn wneud y fath beth. Dim ond y Fo sy'n medru gneud petha felly. Biti na fysa Fo'n ddigon cry i nhynnu finna ato a rhoi ei freichia amdana i a chwifio ffon fel dewin ar sioe deledu a gwneud i mi anghofio go-iawn. Ond mae o'n trio 'i ora.

Wyt ti'n cofio, medda Fo, sut y bydda'r criw yn mynd
fesul dau i fyny drwy'r coed acw at y tŵr bach, fel y bydda
ni'n cuddio ymysg y gwrychoedd? A beth am y gusan
gynta honno?
Breuddwyd oedd hi, medda Finna.
Na, nid breuddwyd o gwbwl, medda Fo. Cusan
anghelfydd pymtheg oed a thitha wedi bod yn ysu amdani
ers misoedd.

Ia, cusan lafoeriog yn sugno ngwefusa i fel sugnydd
llwch a finna'n meddwl yr un pryd, os mai dyma beth
mae 'yfed y gwin o'i wefusau' yn ei feddwl, fedra
Shakespeare erioed fod wedi cusanu neb!

Gwenu wrth feddwl am y peth. Na, fu'r un gusan arall
fel y gusan ddiniwed honno.

Rwyt ti'n dal i fedru gwenu, medda Fo'n fuddugoliaethus,
a lledodd y wên ar fy ngwyneb. Rwyt ti'n werth dy weld
pan wyt ti'n gwenu, Siw. Ma na dwll bach ciwt bob ochr
i dy geg di fel petai babi wedi gwthio'i fys i'r toes a'i dynnu
allan yn sydyn . . . ond mi ddylai'r toes fod wedi ei bobi
wsti. Mae'r bocha 'na yn llawer rhy lwyd i hogan ifanc
prin dros ei deg ar hugain oed.
Mi gawn ni haul y misoedd nesa 'ma. Mi fydda i'n well
wedyn, medda Finna, heb fawr o frwdfrydedd.
Cawod sydyn o law. Falla nad ydi petha wedi newid
gymaint â hynny wedi'r cwbwl. Peth anarferol iawn ydi
glaw yn y lle yma. Pyllau o ddŵr yn hel yma ac acw mewn
chwinciad. Ond does gen i ddim ysfa i neidio ynddynt
heddiw chwaith.
Mae dy wallt di'n cyrlio'n gwta o gwmpas dy wyneb di,
medda Fo.

Dyna wnaeth o rioed wedi 'i lychu, medda Finna.

Rwyt ti'n edrych fel hogan ddeunaw oed, medda Fo.

Biti na fyswn i'n ddeunaw eto.

Fedri di ddim newid amsar faint bynnag wnei di drio gneud hynny, medda Fo.

Biti.

Biti, biti, biti. Beth ar y ddaear sy'n bod arnat ti?

Fydda Fo ddim yn 'y ngheryddu i'n amal, felly mae'n rhaid fy mod yn haeddu min ei dafod heddiw.

Mi wn fod petha wedi bod yn anodd, wedi bod yn greulon ac annheg, ond mae hynny i gyd drosodd rŵan. Fedri di ddim teimlo'n sori drosot dy hun am byth.

Meddalodd tôn ei lais.

Tyd, Siw bach, beth am goffi?

Ia, coffi. Mi neith les i mi. Wyt ti am ddŵad?

Dim ond cam y tu ôl i ti bob amsar, cariad, medda Fo'n ysgafn.

A diolch am hynny! Fo ydi'r ffrind gora sydd gen i.

Tyd i ni weld ydi'r caffi bach coch yn dal i fod yn Stryd y Brenin. Ffwr â ni.

Dacw fo'r caffi ar y chwith yn binc a phorffor heddiw, medda Fo.

A bwrdd i ddau yn y gornel, medda Finna.

*   *   *   *

Gofyn am fygiaid o goffi du i sobri meddwl terfysglyd a chynhesu cyhyrau anhyblyg. Mynd i eistedd wrth y bwrdd bach crwn hefo'r lliain pinc ac eistedd â nghefn at y criw swnllyd yn y gornel arall. Gwyro i sipian y coffi'n ara deg a'r gwpan yn hongian rhwng fy mysedd, hanner ffordd rhwng y soser a'm ceg. Synfyfyrio i'r sudd tywyll melys gan geisio boddi fy nhristwch ynddo.

'Ydi'r gadair yma'n wag?' meddai llais hyderus, tal mewn pâr o jîns glas, hen, a thwll yn y pen-glin, a'r pen-glin yn cyrraedd fy mhenelin.

'Ydi,' medda finna.

Rhoi ei de a phlatiaid o frechdanau caws a salad yn dwt ar y lliain pinc ac eistedd i lawr yn ofalus. Dydwi ddim yn teimlo fel siarad. Gobeithio y cadwith o ei feddylia iddo fo'i hun hefyd.

'Tywydd ofnadwy. Mi ges i drochfa. Heb gôt law fel arfer. Esgus iawn i gael cinio buan.'

'Mm.' Gwneud y sŵn lleia fedrwn i heb gymryd diddordeb ynddo.

'Ar y'ch gwylia?'

'Mwy ne lai.' Pam na wneith o fwyta'i fara caws, fedra fo ddim siarad wedyn.

'Ddyliwn i'ch nabod chi?' gofynnodd eto.

'Na, dydi hynny ddim yn debygol,' medda Finna heb godi fy llygaid o'r gwpan i wneud yn siŵr. Doedd dim ond un peth i'w wneud, gorffen y coffi a mynd allan, glaw neu beidio. Hanner codi.

'Fedrwch chi ddim mynd allan i'r glaw rŵan,' meddai'n bendant. 'Coffi arall? Du?'

Nodio'n ufudd. Does gen i ddim dewis. Mae o ar ei ffordd at y cownter yn barod. Pam mae hwn mor ffeind? Falla mod i'n edrych yn hawdd 'y nal. Mi geith o weld!

Llaw gref gyda bysedd hir ystwyth yn rhoi mygiaid o goffi ar y bwrdd o'm blaen a phlât ac arno dafell o fara brith yn ei ddilyn.

'Bwytwch y bara brith, rydach chi'n edrych fel petaech ei angen. Chewch chi mo'i well yn y byd.'

'Diolch.' Rydw i cywilydd o dôn fy llais ond dydi hwn

11

ddim yn malio am hynny. Mynd yn ei flaen fel deryn ar
frigyn uchel ar ôl cawod o law.

'Falla y bysach chi'n licio un o'r rhain gynta?' Mae o'n
cynnig y platiaid o fara caws i mi.

'Na, dim diolch.' Ysgwyd fy mhen fel pendil cloc mawr
yn ara deg. 'Mi fydd y bara brith yn ddigon. Rydach chi'n
garedig iawn.'

Tawelwch annifyr, yr un ohonom am ddweud gair.
Medraf deimlo ei lygaid arnaf ond dydw i ddim wedi
edrych ymhellach na choler ei grys marŵn a'r botwm
uchaf heb ei gau.

'Mi wn i pwy ydach chi rŵan,' meddai'n
fuddugoliaethus. 'Siwsan Rhys — y gora'n y dosbarth,
capten y tîm chwaraeon a'r hogia i gyd ar ei hôl. Yr ysgol
gyfun yma, canol y saithdega.'

Arhosodd am funud yn disgwyl ateb. Mae o wedi fy
nal. Dydwi ddim eisiau cyfarfod neb yr ydwi'n ei nabod.
Mi ddylwn fod wedi mynd pan ges i'r cyfle.

'Ydwi'n iawn?'

Cyn i mi fedru ngorfodi fy hun i edrych ar ei wyneb
mae o'n taflu llaw fawr ar draws y bwrdd gan fy annog
i'w hysgwyd.

'Ben Wilias,' meddai, 'gwaelod y dosbarth, anghelfydd
ac yn swil hefo'r genod — bryd hynny!'

Cystal iddo ddeud pwy ydi o, fyswn i ddim wedi ei
nabod. Mae ei ysgwydda llydan, ei wên farfog, barod a'i
hyder hapus, naturiol yn cuddio unrhyw argoel o'r llanc
distaw pymtheg oed gyda'i goesau hir, tenau a'i lygaid
brown.

'Wrth gwrs, dwi'n cofio rŵan,' medda finna gan
smalio'n foesgar a throi corneli fy ngheg ar i fyny i esgus

gwên ond rydwi'n siŵr ei fod o'n gweld y gwir yn fy llygaid.

'Pwy fysa'n meddwl,' meddai'n uchel, 'Siwsan Rhys.' Mae o'n swnio fel petai wrth ei fodd, wedi dod ar draws ffrind mawr yr oedd wedi colli cysylltiad ag ef.

Edrych dros fy ysgwydd i wneud yn siŵr nad oedd neb arall wedi ei glywed, nad oedd neb arall yn ei nabod.

'Wel, be wyt ti wedi bod yn ei neud y pymtheng mlynedd dwaetha 'ma? Fedra i ddim deud dy fod yn edrych yn rhy hapus heddiw, ond ma'r tywydd 'ma'n ddigon i sobri neb.'

Rhag 'i gywilydd o am fod mor hy ac edrych arna i mor ofalus. Wna i ddim edrych arno fo. Mi rof fy meddwl ar fy mhlât a'r bara brith 'ma er ei fod yn codi cyfog arna i. Mae'n rhaid fod fy mysedd wedi bod yn nerfus, brysur tra oedd o'n siarad. Mae'r deisen yn friwsion ar y plât. Pigo un o'r cyraints rhwng fy mysedd a'i rhoi yn fy ngheg yn ara deg. Mi roith hyn esgus i mi beidio â siarad am dipyn yn hwy.

'Mae'n ddrwg gen i,' meddai Ben, ei lais yn dawelach a mwy ffeind. 'Ddylwn i ddim bod wedi deud hynna.'

Gwylio'i law yn nesu at fy mraich fel anifail mawr yn nesu at ei ysbail, taro fy mraich yn ysgafn gyda'r bysedd hir, ystwyth a gyrru ias ryfedd drwydda i.

'Siwsan Rhys ydach chi yntê?'

Nodio. 'Ia, Siwsan Rhys oeddwn i.'

Mae o wedi sylwi ar fys y fodrwy. Dyma fo'n tynnu ei law ato, eistedd yn ôl yn ei gadair a phlethu ei freichia fel plentyn yr oedd athro newydd ddweud y drefn wrtho.

'Problema?'

Pam na gadwith o ei feddylia iddo fo'i hun. Dwi ddim isio siarad am 'y mhroblema hefo fo.

'Dim mwyach,' medda finna gan godi fy llygaid i edrych arno. Rydwi'n trio bod yn ddewr ond mae'r dagrau'n codi er fy ngwaetha . . .

'Mwy o goffi?'

Dydi o ddim yn gwybod beth i'w neud. Fedra i mo'i feio fo chwaith. Peth gwirion fydda iddo fo fwydro'i ben hefo rhywun oedd wedi gneud smonach o'i bywyd.

'Dim diolch, rhaid i mi fynd.'

'I ble?'

'Rydwi wedi rhentu bwthyn ar y bryn uwchben y creigia am yr ha.'

Yn sydyn, dyma fo'n sefyll ar ei draed a rhoi ei gadair yn dwt o dan y bwrdd.

'Mi fydda i'n cael 'y nghinio yma bob dydd ar wahân i ddydd Iau . . . tua hanner dydd. Os byddi isio sgwrs rywdro mi wyddost lle i ddŵad. Mi fedra i sôn wrth rai o'r criw mod i wedi dy weld hefyd — dim ond i ti ddeud y gair. Hwyl.'

Mynd allan o'r caffi heb ddisgwyl ateb nac edrych yn ei ôl. Finna'n ei wylio'n cerdded i lawr y stryd, ei gam yn hir a sionc, ei law chwith yn ei boced a'r llall yn cael ei chwifio at hwn a'r llall wrth fynd heibio. Roedd Ben yn amlwg â'i draed yn sownd yng nghoncrit y lle yma. Roedd o'n siŵr ohono'i hun. Falla nad oedd o wedi bod yn feiddgar a mynd i ffwrdd i'r coleg er mwyn cael swydd well mewn ardal arall, ond yr oedd yn hapus braf ac yn fodlon ar ei fyd. Ro'n i wedi bod yn rhy uchelgeisiol, isio gwneud yn well na neb arall yn y teulu, isio profi y medrwn i sefyll ar fy nhraed fy hun.

Mi wnest ti hynny hefyd, medda Fo, yn dod yn ei ôl yn sydyn. Roedd pob dim yn iawn nes y doist ti ar draws y Richard felltith yna.

Oedd am wn i.

Mi wyddost yn iawn ei fod o. Gradd dosbarth cynta mewn Mathemateg ym Mryste, yna i Lundain i weithio fel cyfrifydd gydag un o'r cwmnïau mwyaf llewyrchus yn y wlad.

Mae hynna i gyd drosodd rŵan. Ddaw'r dyddia hynny byth yn ôl.

Pam lai? Dwyt ti ond ifanc eto. Mae 'na ddigon o amser i ailadeiladu dy fywyd. Mi fyddi'n hapus eto, mi gei di weld.

Mi hoffwn dy goelio di ond fedra i ddim gweld drwy'r niwl trwchus 'ma. Rydwi'n teimlo mor ddiffrwyth, heb ynni na hyder. Fydd anghofio ddim yn hawdd hyd yn oed os daw tro ar fyd.

Ond rwyt ti wedi cymryd y cam cynta'n barod, a'r cam cynta ydi'r cam anodda.

Gobeithio dy fod yn iawn.

Wrth gwrs 'y mod i. Doedd o ddim yn gam bach simsan chwaith.

Gadal dy waith, gwerthu'r fflat crand 'na a dŵad yn ôl i ganol dy wreiddia er nad oes yma deulu agos ddim mwy, na ffrindia am a wyddost chwaith.

Ella fod Ben yn gwybod lle mae Sioned a Jenni. Mi briododd y ddwy ohonyn nhw hogia o'r ysgol — falla 'u bod nhw yn dal i fod o gwmpas.

Wyddost ti ddim, medda Fo'n fodlon braidd, wyddost ti ddim.

2

Mae hi'n rhyfedd dod yn ôl i dŷ Anti Dori. Wnes i ddim sylweddoli nes i mi gyrraedd y drws mai bwthyn yr hen fodryb oedd o. Roeddwn wedi ei rentu drwy'r asiant yn y dre. 'Sea View' oedd yr enw ar y giât ond yn 'Awel y Môr' yr oedd Dori'n byw. Saeson wedi ei brynu wedyn, meddan nhw. Pam oedd yn rhaid iddyn nhw newid yr enw, dyn a ŵyr, mae *'A will ee more'* yn ddigon hawdd i'w ddweud yn Saesneg!

Tŷ tu ôl ymlaen ydi o. Mae tai ar ochr mynydd bob amser a'u drws ffrynt yn wynebu'r môr. Mae'r lôn fawr yn uwch na'r tŷ ac felly y drws cefn a ddefnyddiai pawb. Dim ond yn yr haf ar ddydd Sul poeth y byddai'r drws ffrynt yn cael ei agor, ond rydwi'n benderfynol y bydda i yn ei agor yn amlach na hynny i mi gael yfed yr olygfa y bûm yn ysu am ei gweld mor hir.

Mor aml, ar ddiwrnod isel tra'n pwnio fy ffordd adre drwy dyrfaoedd o wynebau hir, rhythiog a pheneliniau fel llywiau llong yn anelu'n benderfynol i asennau'r llu o'u cwmpas, y tybiwn mai i fyny Gallt y Ddôl at odre'r Garn yr oeddwn yn dringo, yn fyr fy ngwynt ac araf fy ngham. Ond wrth ddod wyneb yn wyneb â drws ffrynt

16

y fflat, yn yr apartment bloc coch yn Kensington, buan iawn yr ysgytwid fi o'm breuddwyd diniwed.

Y tu ôl i'r drws hwnnw yr oedd bywyd yn wahanol iawn i'r hyn yr oeddwn i yn gyfarwydd ag ef, yn wahanol iawn i'r hyn yr oedd neb arall yn meddwl ei fod.

Panad gynta, medda Fo, cyn gynted ag y rhois fy nhroed dros y trothwy, a mi fydda'n well i ti fyta rwbath â thipyn o faeth ynddo fo hefyd. Fedri di ddim cadw dy nerth na d'ysbryd ar ddarn tila o fara brith.

Mi fysa'n dda gin i tasat ti ddim yn deud y drefn o hyd, medda Finna. Dydwi ddim ond wedi bod yn y dre am ddwyawr ond rydwi'n teimlo fel cadach llestri wedi ei wasgu'n dynn, yn llipa hollol.

Mi ddylat fod wedi derbyn brechdan gaws Ben. Does 'na ddim i'w fyta yn y cwpwrdd 'ma.

Mi fydd 'na dún o rwbath maethlon yn y bocs sebon 'na yn y gornel. Mi ddadbacia i fory.

Rŵan.

O'r gora, rŵan.

Ymbalfalu drwy'r tacla yn y gornel. Dydwi ddim wedi dod â llawer o betha hefo fi. Mae'r rhan fwya o gynnwys y fflat mewn stôr fawr yn Battersea yn disgwyl i mi benderfynu beth wna i nesa. Dod ar draws y bocs sebon a thynnu tún tiwna bychan allan.

Byta fo, medda Fo, a Finna fel plentyn ufudd yn gwneud hynny — yn syth o'r tún!

Dillad sych ydi'r peth nesa, medda Fo eto.

Do'n i ddim wedi sylwi mod i mor wlyb, medda Finna. Mae 'na dân oer yn y grât. Mi gnesith y lle wedi i mi ei

17

gynnau. Rhywun wedi gadael bocs o fatsys ar y silff-ben-tân. Dydi rhai pobol yn ffeind — yn meddwl am y petha bach fysa pobol fel fi byth yn cofio amdanyn nhw — dim yn y stad yr ydwi ynddo ar hyn o bryd beth bynnag. Dim ond matsian yn gwneud i mi deimlo'n well, yn fwy gobeithiol.

Y dyn Richard yna sy wedi dy wenwyno di, medda Fo. Rwyt ti wedi anghofio fod 'na bobol ffeind yn y byd. Be welist ti ynddo fo rioed, wn i ddim.

Mi ddigwyddodd petha mor sydyn, medda Finna. Hogan newydd yr offis o'n i a fynta'n dŵad i mewn un dwrnod i weld y bòs. Y genod erill i gyd yn trio dal 'i sylw. Pawb yn deud pa mor ddel a neis oedd o. Ro'n i ar ben fy nigon pan es i i barti 'Dolig rhyw fis wedyn a Lis yn 'y nghyflwyno i iddo fo. Wn i ddim be welodd o yna i.

Rwyt ti wedi bod yn ddel erioed.

Ond dydi hynny ddim yn ddigon ar ei ben ei hun. Wyddwn i ddim ar y dechra ond roedd 'i deulu o'n troi ymysg crachach go-iawn. Mi fysa fo wedi medru cael gwraig o blith ei fath 'i hun yn hawdd.

Isio bod yn wahanol roedd o. Ne heb ddigon o gyts i ddangos 'i liwia iddyn nhw.

Be wyt ti'n 'i feddwl?

Wel, fydda fo ddim yn gneud lles iddo fo'i hun. Mi fydda gan hogan o blith ei gydnabod ormod o ffrindia — mi fydda pawb yn gwbod sut un oedd o wedyn.

Digon posib. Tipyn o gawr mawr oedd o a deud y lleia, ac wrth 'i fodd yn dangos 'i hun (a finna) i'w griw a'i deulu. Ond fyddan ni ddim yn gweld fawr arnyn nhw chwaith — dim ond ar adeg pen-blwydd neu'r Nadolig. Roedd gynnon ni sioe werth 'i gweld y pryd hynny. Dillad newydd sbon o Harrods a'r labelau yn amlwg. Cyrraedd mewn tacsi anferth bob tro er mwyn i bawb feddwl ein bod ni'n bwysig dros ben. Wn i ddim sut na wnaeth neb weld y gwir ar 'y ngwyneb i. Doeddwn i ddim yn medru actio cystal â fo.

Doedd ganddyn nhw ddim digon o ddiddordeb ynat ti. Nagoedd, mwn. Roedd o'n ddigon annwl ar y dechra, yn gneud i mi deimlo mai fi oedd y peth gora'n y byd. Mae'n rhaid i mi ddeud i bawb yn yr offis gael sioc pan gerddis i mewn un diwrnod, rhyw chwe wythnos wedi i mi 'i gyfarfod, hefo clamp o ddiamwnt yn sgleinio fel goleudy ar fy llaw chwith.

Y diawliaid cenfigennus.

Mi ddylwn fod wedi gadael iddo briodi un ohonyn nhw. Peth rhyfedd ydi ffawd.

Wyt ti'n credu mewn ffawd? Go-iawn?'

Ydw am wn i. Sut arall fedri di egluro'r petha 'ma sydd wedi digwydd?

Gwers ofnadwy ddysgodd ffawd i mi felly.

Eistedd yn drwm yn y gadair freichia ger y tân fel y byddai Anti Dori yn 'i wneud ers talwm. Edrych ar y fflam yn codi o gwmpas y coed yn las ac oren a choch, yn araf fwyta'r coed melyn yn dyllau du, yn llyfu oerni'r simnâu gyda naid annisgwyl yma ac acw cyn llechu odanynt yn chwilio am nerth i losgi eto.

Pa mor hir fydd yn rhaid i mi guddio yn y fan hyn sgwn i?

Mae hynny'n dibynnu arnat ti, medda Fo heb ddisgwyl ateb.

Mynd i agor y drws ffrynt. Tynnu arno am funud o leia cyn iddo neidio'n annisgwyl a'm taro i'n egr ar fy mhen-glin. Neidio ar un droed am eiliad gan afael yn fy nghoes, i leddfu'r boen, yna hercian allan at y wal, led llwybr o'r drws. Yn y pellter mae'r môr yn rhimyn llwyd dan gymylau sy'n cleisio'r awyr ac yn tynnu'r nos i gyfarfod y pnawn. I'r chwith y mae'r hen dre, a'r castell yn frenin ar y cwbl yn gwneud yn siŵr nad oes neb yn anghofio ei fod yno. Beth fyddai'r dre heb y castell? Ys gwn i fyddai'r Normaniaid wedi ei adeiladu pe gwyddent y byddai yn cynnal y dre a'i phobol heddiw.

Dringo i ben y wal gerrig fel y byddwn yn ei wneud yn blentyn. Dim ond pridd sy'n dal y cerrig wrth ei gilydd a hwnnw'n taflu allan raeadrau o flodau glas a phinc a phorffor. Gardd y gwanwyn ydi gardd Awel y Môr o hyd. Tynnu fy mhen-gliniau o dan fy ngên a siglo'n ôl a blaen fel petawn ar gadair siglo, a synfyfyrio. Dwy gath yn poeri ar ei gilydd yng nghornel y cae dan y tŷ, yn union fel y byddai Richard yn taflu ei eiriau cas ata i, yn fy sathru fel pry cop i garped trwchus dro ar ôl tro. Fedrwn i byth wneud dim yn iawn. Byddai'r bwyd yn rhy oer neu'n llosgi ei geg, yn rhy hallt neu heb ddigon o flas, yn rhy gyffredin neu'n rhy uchelgeisiol. Yr oedd yn ddirmygus bob amser pan oeddym yn y fflat. Gyda chydnabod ac ymysg ei deulu yr oedd fel gŵr bonheddig yn talu sylw i dywysoges.

Dim rhyfadd fod y lleill yn genfigennus, medda Fo.
Ddoist ti felly, medda Finna.
Tra byddi di angen siarad mi fydda i yma, medda Fo.
Fyddi di ddim f'eisiau i am byth.
O bydda! Paid â mynd i ffwrdd, medda Finna'n ofnus a'm llygaid yn gwibio o gwmpas eto fel y byddwn pan

fyddai Richard yn stwna o'm cwmpas yn bygwth ac yn beirniadu pob symudiad.

Tawel, tawel, merch i. Nid dyma'r amser i d'adael di ar dy ben dy hun. Fyddai hynny ddim yn gweddu i'r un ohonon ni.

Rho dy freichia amdana i. Gwna i mi deimlo'n ddiogel.

Gwasgu fy mreichiau'n dynnach o gwmpas fy nghoesau a siglo eto'n fwy bodlon. Gwylio'r cymylau du yn diflannu dros fynydd Parys a'r nos yn carlamu ar eu holau gan daflu mantell serog y tylwyth teg dros y pentre a'r llethr tua'r môr.

3

'Mi fedrwn i fynd adra'n saff ddigon ar fy mhen fy hun wsti, Richard,' medda fi wrtho un diwrnod mor neis ag y medrwn.

'Dim isio i neb dy weld hefo dy ŵr?' medda fynta'n swta gan afael yn dynn yn 'y mraich fel hebog ar 'i glwyd a ngwthio i ymlaen ar hyd y palmant tuag at orsaf y tiwb.

'Rwyt ti'n brifo mraich i, mi fydda i'n gleisia i gyd,' meddwn gan geisio fy rhyddhau fy hun o'i afael.

'Dos yn dy flaen yn dawel, ngenath i,' meddai gan ddiystyru fy mhledio.

'Mi a i yn fy mlaen yn iawn heb i ti nhywys i fel petaet wrth olwyn berfa.'

'Cau dy geg a gwna fel rydwi'n deud.'

'Paid â bod mor gas wrtha i, Richard. Mi fydd yn brafiach cyrraedd adra'n ffrindia nag yn ffraeo fel cŵn o hyd.'

'Os nad wyt yn gwybod dy le, mae'n rhaid i mi neud yn siŵr dy fod yn dallt be ydi dy ddyletswydd.'

'Ond does dim angen i ti ddangos fy lle i mi. Mi wn i'n iawn lle rydwi'n sefyll — o dan dy fawd di, a fiw i mi ddeud dim yn groes.'

'Wrth gwrs, f'eiddo i wyt ti, a chaiff neb arall fynd yn agos atat ti.'

'Ond dydwi ddim isio neb arall.' Newidiais fy nhôn a deud mor annwyl ag y medrwn yn fy ofn, 'Wyt ti rioed yn genfigennus, Richard? Rwyt ti'n 'y ngharu i wedi'r cwbl!'

'Be wyt ti'n ei feddwl "wedi'r cwbl"? Mi briodais di yn do? A gaddo rhannu pob dim hefo ti.'

'Wel do, o flaen y Person.'

'Felly dy ddyletswydd di ydi bod yn wraig iawn yntê, gan na ddoist â dim hefo chdi i'r briodas.'

'Be wyt ti'n ei feddwl?'

Aeth ei drwyn i fyny heb iddo fod yn ymwybodol o hynny. Edrychai fel llwynog wedi gwynto tamaid blasus ac am fod yn siŵr ei fod am ei ddilyn i'r cyfeiriad iawn.

'Wel, mi ro'n i'n eitha *catch* i hogan bach o'r wlad fel chdi, a honno'n wlad estron hefyd.'

'Wnest ti rioed gwyno o'r blaen mod i'n Gymraes.'

'Ella mod i'n meddwl dy fod angen dy dynnu at dy goed.'

'Paid â bod mor wirion, Richard. Rydwi'n wraig ddigon da i ti, a ma popeth yn cael ei neud fel y mynni di, a chymrais i fawr o amser i ddysgu hynny chwaith, Cymraes neu beidio.'

'Hefo lot o help gen i,' meddai'n annaturiol o ymostyngedig.

'Mae genod yr offis i gyd yn mynd allan i'r theatr nos Wener. Mi fyswn yn licio mynd hefo nhw. Dydan ni'n gneud dim nos Wener, ydan ni?'

'Ydan.' Caeodd ei ddannedd ac meddai heb symud fawr ar ei wefusau. 'Rydan ni'n mynd i weld Mam a Nhad dros y penwythnos. Maen nhw'n y'n disgwyl ni.'

'Ond ddwedaist ti ddim am hyn o'r blaen.'

'Heddiw y ffoniodd Mam fi yn yr offis. Mae rhyw hen ffrind i mi o'r ysgol wedi dod yn ôl o Dde Affrica ac am 'y ngweld i.'

'Pa ffrind?'

'Wnest ti rioed 'i gyfarfod o.'

'Naddo, mwn. Ysbryd newydd ei eni ydi o. Esgus iawn i nadu i mi fynd allan hefo'r genod.'

'Mae gŵr a gwraig yn mynd allan hefo'i gilydd.'

'Prin y byddwn ni'n mynd allan o gwbl. Mi fyddai'n braf gneud rhywbeth gwahanol weithia.'

'O! A be ma hynny'n ei feddwl?'

'Rydan ni bob amsar hefo'n gilydd fel efeilliaid Seiamîs.'

'Dyna'r diolch ga i am fod mor ofalus ohonot.'

'Mae 'na wahaniaeth rhwng gofal a charcharu yn 'y meddwl i, ond dwyt ti ddim yn gwbod y gwahaniaeth rhyngddynt.'

Erbyn hyn yr oeddem wedi cyrraedd drws y fflat. Agorodd y drws a'm lluchio fel hen gôt law ar lawr y neuadd gul. Taro fy mhen yn erbyn y wal wrth ddisgyn a thrwy'r gyda'r nos diolchais am y cur pen a ddaeth yn ei sgîl. Fedrwn i ddim dal i ddadla hefo fo. Roedd gan Richard ei syniada 'i hun a'r rheini oedd yn iawn. Os oedd rhywun yn anghytuno ag ef y nhw oedd yn camgymryd.

Mi aeth petha o ddrwg i waeth ar ôl hynny. Mi fyddai wrth fy sawdl beth bynnag fyddwn yn ei wneud. Dydi hi ddim yn hawdd caru neb sy'n dangos cyn lleied o barch at rywun. Ond er gwaetha'r cwbl mae'n rhaid 'y mod i'n ei garu yn ôl rhyw ffasiwn.

Mi ddaw at 'i goed rhyw ddiwrnod, meddwn wrthyf fy hun yn ddigon hyderus. Yn ara deg mae dal iâr. Mi newidiwn ni betha fesul tipyn. Mi wna i o'n ŵr gwerth 'i gael toc! A phan ddaw'r plant mi fydd yn dad gwerth 'i gael hefyd.

Roedd gen i ddigon o ffydd ynof fy hun ar y dechrau. Ro'n i'n gry, fy nghorff a'm meddwl, wedi cael fy meithrin gyda bwyd da a syniada synhwyrol, cyffredin, cadarn. Ro'n i wedi medru cadw fy mhen yn erbyn temtasiyna fil yn y coleg. Wnaeth sigaréts, alcohol na chyffuriau o unrhyw fath ddim newid 'y mhenderfyniada i i fyw cystal ag y medrwn. Ond doedd neb wedi deud wrtha i am bobol fel hyn. Ro'n i'n meddwl fod pawb yn y byd fel Mam a Nhad, Catrin ac Alun, Anti Dori a Mr a Mrs Griffith drws nesa!

Ond peth braf ydi sylweddoli nad ydi pawb yn anhapus, nad ydi pawb yn ffraeo'n dragywydd. Mi es i lawr i lan y môr ddoe lle byddwn i'n dianc yn hogan pan fydda Mam a finna wedi camddallt ein gilydd. Mi fyddwn yn arfer eistedd ymysg y cerrig a chuddio nhraed yn y cerrig mân a'r rheini'n crafu yn erbyn fy modiau nes eu bod yn brifo'n goch. Mi wnes hynny ddoe ond doedd y teimlad ddim yr un fath. Roedd yr oerni yn deffro fy ymwybod ac yn agor fy llygaid. Ers talwm dim ond y fi fyddai yno, yn fy meddwl fy hun, y byd yn fy erbyn, yn sniffian fy maldod a phwdu fy llid i'r môr. Ddoe, roedd y lle'n llawn o deuluoedd yn chwerthin a chwarae, yn gweiddi eu mwynhad a'u rhyddid wrth redeg ar y tywod a neidio i'r môr. Wrth edrych arnynt teimlais fy ffydd yn cael ei ailgynnau. Mi fûm i'n anffodus. Ond does dim rhaid i mi fod yn anffodus am byth.

4

Mi ddylet ti fynd allan, mae angan awyr iach arnat ti, medda Fo yn reit rhesymol. Beth amdani? Pam lai. Ma hi'n fore Sul braf a'r cymyla 'na yn edrych yn ddigon ffeind. I ble'r awn ni? medda Finna yn synnu mod i'n teimlo mor ufudd heddiw.

I fyny i'r mynydd i ti gael teimlo dy fodia yng ngwellt bras y llethr a'r gwynt yn dy wallt. Rho rywbeth cynnes amdanat.

Y tro dwaetha yr es i i'r mynydd mi aeth criw ohonom ar goll ymysg y llechi. Gorfod dringo i fyny ac i lawr pentwr ar ôl pentwr o sbwriel chwarel cyn cyrraedd y llwybr i'n tywys yn ôl i'r pentra.

Dos â phelen o linyn hefo ti os wyt ti ofn mynd ar goll eto. Dyna wnaeth Theseus yn y labrinth yng Ngroeg ers talwm!

Paid â chellwair. Awn ni ddim yn bell heddiw.

Bwyta brecwast mwy nag arfer. Coffi go-iawn, ŵy 'di ferwi a thost wedi ei dorri'n dipis cul fel y bydda Mam yn ei baratoi i mi. Dagrau'n dod i'm llygaid wrth feddwl amdani. Rhaid i mi sgwennu atyn nhw. Mi ddylwn fod wedi gneud hynny ers hydoedd, ond mi fydda'n haws teimlo eu hymateb petawn yn medru mynd i'w gweld.

Ond fedra i ddim picio i Awstralia heb wybod gawn i groeso wedi cyrraedd. 'Y mai i ydi eu bod nhw yn Awstralia o gwbl. Fysan nhw ddim wedi mynd tawn i wedi cadw cysylltiad â nhw. Ond fedrwn i ddim. Roeddan nhw'n meddwl mod i wedi mynd yn ormod o snoban wedi priodi fel y gwnes i, a doedd hynny ddim yn syn.

Mi fysan nhw'n dallt wsti, medda Fo. Dim ond i chdi sgwennu atyn nhw ac egluro sut yr oedd petha.
Mae hi'n rhyfadd, medda Finna, eu bod nhw'n meddwl mod i'n cael cymaint o hwyl hefo'r bobol fawr a mod i'n rhy hapus i foddran hefo nhw.
Brathu fy ngwefus rhag i mi feichio crio.
Does 'na neb yma ond y fi, Siw bach, felly cria os lici di, medda Fo.
Na wna i ddim. Mae hi'n ddwrnod rhy braf a rydan ni'n mynd i'r mynydd. Rydwi wedi crio digon yn barod.
Does dim rhaid i ti fod yn rhy ddewr.
Mi sgwenna i iddyn nhw y pnawn 'ma.

Cychwyn yn eitha heini ar hyd y lôn. Mae'r haul wedi tynnu pobol allan heddiw wedi gaea hir, garw. Ambell hen ŵr yn pwyso ar wal ei ardd ac ogla cig rhost cinio dydd Sul yn dod ar yr awel drwy ddrysau agored. Ches i ddim cinio dydd Sul felly ers blynyddoedd. Cinio nos fydda Richard a finna yn ei gael.
    'Diwrnod braf!' Hen ŵr yn gweiddi arna i o'r ochr draw i'r ffordd. Ei geg yn gwenu, ond y rhychau ar ei dalcen yn gofyn pwy ydw i. Ond wna i ddim aros i siarad hefo fo heddiw.
    'Braf iawn,' medda finna'n ôl a mynd yn fy mlaen yn gyflymach.

Rydwi'n siŵr mai rownd y gornel nesa yn ymyl y Capel Mawr y mae giât y mynydd gyda rhes o dai bychan a'r gerddi hances boced o'u blaena yn helpu'r llwybr ar ei ffordd. Mae o'n bellach nag o'n i'n ei feddwl. Dacw'r capel. Dyna siop hefyd — yn agored ar y Sul, hyd yn oed yn y lle anghysbell yma. Mi fedra i brynu papur newydd a rhywbeth i'w fwyta ar fy ffordd yn ôl.

Cyrraedd y llwybr a'r giât fach gron. Tri phlentyn yn siglo arni heb fod yn rhy fodlon i symud. Edrych arna i yn dreiddgar, heb wenu, pen un ar un ochr a'r ddau o'r neilltu yr un ffunud â'i gilydd — gwallt cyrliog brown, llygaid glas a ffrogiau yn llawn o flodau mân amdanynt.

'Dynas ddiarth ydach chi,' meddai'r canol toc.

'Ia,' medda finna'n dawel.

'Pwy dach chi isio'i weld?' Un o'r efeilliaid yn cymryd yn ganiataol mod i'n mynd i un o'r tai yn y rhes fechan.

'Neb. Ga i fynd drwy'r giât plîs?'

Y tri yn neidio o'r neilltu a'r efaill tawel yn dal y giât i mi. Cerdded heibio iddynt heb ddweud mwy a thri phâr o lygaid yn fy nilyn.

' 'Dach chi'n mynd i'r mynydd?'

'Ydw.'

'Peidiwch â mynd drwy gylch y cerrig hud.'

'Wna i ddim.'

Lle chwarae'r plant. Eu cyfrinach bach nhw mae'n rhaid. Mae'n rhyfedd fel mae plant yn meddwl fod pobol mewn oed yn medru darllen eu meddyliau.

Dyma fi, yma o'r diwedd, fy sgidia yn fy llaw, fy nhraed yn boddi yn y gwellt trwchus, bras a hwnnw'n neidio i fyny y tu ôl i mi heb ddangos ôl fy nhraed. Fydda hi ddim yn hawdd dilyn trywydd dyn nac anifail i fyny'r mynydd yma heddiw. A dim ond y plant sy'n gwybod ble rydwi.

Cerdded yn fy mlaen heb edrych yn ôl. Rydwi eisiau troi'n sydyn pan gyrhaedda i'r brig er mwyn gweld yr olygfa i gyd ar unwaith ac o'r newydd. Carreg yma a charreg acw fel y rhai oedd ar y boncen adra ers talwm a'r bloda bach pinc a gwyn a melyn yn dringo drostynt yn werth eu gweld yn y gwanwyn. Dim ond y gwellt sy'n closio am y rhain a'r cen sy'n dringo drostynt fel gwyran dros longddrylliad. Yn droednoeth, ofalus, yr awel yn cydio yn fy ngwallt ac yn gwthio drwy wead pinc meddal yr *angora* cynnes, drud sydd amdanaf. Rhedeg am ryw hanner canllath i symud y gwaed yn fy ngwythienna er mwyn i'r corff 'ma gael gwybod 'i fod o'n fyw eto a theimlo'r bocha llwyd 'ma'n cochi yn y gwres sy'n codi o'r tu mewn. Ond ma nhrwyn smwt i'n dal i fod yn oer a gwlyb fel trwyn ci defaid Taid. Ei rwbio'n gynnes hefo cefn fy llaw gan edrych i fyny i'r awyr lle'r oedd awyren arian yn hedfan yn dawel yn y glesni wedi datod y llinyn bogail ac yn awr ar drugaredd y gwynt. Fûm i erioed isio hedfan. Mi bydda'n rhaid i mi ddal fy hun yn dynn pan fyddan ni'n mynd ar ein gwyliau i Sbaen yn blant, ond mae'r syniad o fedru hedfan fel deryn a phwyso ar y gwynt yn un reit hudolus heddiw.

Taro fy nhroed ar un o res o gerrig bron ynghudd yn y gwellt, gweiddi mewn poen ac edrych i lawr.

Rhyw lathen o mlaen i mae 'na dwll anferth — hen dwll y chwarel. Diolch am y garreg. Mi fedrwn fod wedi disgyn dros y dibyn. Ochrau serth miniog, glas, llwyd a du yn disgyn i bwll Uffern. Rhuthu i mewn i'r twll, fy llygaid yn dilyn y llethrau y bu tadau a theidiau canrif gyfan yn dringo hyd-ddynt i naddu eu cwîns, dytshis a'u

ledis o'r llechen las. Pob chwarelwr at 'i ddarn 'i hun a'r
torrwr gora'n medru rhoi gwell bwyd ar fwrdd ei fwthyn
gwyngalch undrws yr wythnos wedyn. Mae'r creigiau i
gyd yn edrych yr un fath i mi heb lygaid crefftwr. Dim
ond y perygl miniog, caled blinderus ydw i yn ei weld,
mor wahanol i greigiau'r môr sydd wedi eu trochi a'u
llyfnu gan rithm y tonnau. Wnaiff glaw canrifoedd ddim
llyfnu'r rhain, dim ond llenwi'r llyn ar y gwaelod. Pwll
dyfn, tywyll, llonydd fel powlen Ffrengig o goffi du wedi
oeri a'i wyneb yn sgleinio fel eisin ar deisen pen-blwydd
pync.

Paid, medda Finna.
Pam lai?
Does gen i ddim angen i ti roi syniada yn 'y mhen i.
Maen nhw yno'n barod.
Ro'n i'n meddwl dy fod ar yr un ochr â fi.
Wrth gwrs 'y mod i.
Dydi deud petha felna ddim yn mynd i helpu neb.

   Rydwi'n teimlo'r hen drymder yn dod drosta i fel niwl
mis Mawrth ar yr M27. Y ffordd yn glir un munud a'r
munud nesa, llwydni gwlyb yn cau o nghwmpas i yn peri
dychryn ac ofn.

Fydda neb yn gwbod, medda Fo. Dim mwy o gwffio yn
dy erbyn dy hun, dim mwy o drio penderfynu beth fysa
ora 'i neud, dim mwy o boeni am y gorffennol . . .
Na dim mwy o obaith am y dyfodol chwaith, medda
Finna.
Wel, mi rydan ni'n optimistig heddiw, be sy wedi newid
dy feddwl di? Petaet wedi cael cyfle fel hyn fis yn ôl fysat

ti ddim wedi meddwl ddwywaith am neidio dros y dibyn 'na.

Wn i ddim yn iawn. Lot o betha bach fel cicio'r garreg 'na gynna. Mi wnaeth yn siŵr mod i'n gweld ble'r o'n i'n mynd.

Hap oedd hynna.

A gwyneba'r plant 'na wrth y giât yn hapus ac yn llawn diddordeb.

'Peidiwch â thaflu'ch hun drosodd, Miss.' Mae'r lleisiau yn gweiddi y tu ôl i mi.

Rŵan wyt ti'n gweld be ydwi'n ei feddwl, medda Finna wrtho Fo'n ddigon bodlon.

'Mi aethoch drwy'r cylch hud a ninna wedi deud wrthach chi am beidio.' Mae'r plant yn deud y drefn wrtha i gan ddod yn nes a sefyll yn stond wrth y garreg a roddodd gymaint o boen i mi funudau yn ôl. Troi fy nghefn ar dwll y chwarel a gweld yr efeilliaid yn estyn eu dwylo ata i, un â'i llaw dde a'r llall â'i llaw chwith. Cerdded tuag atyn nhw a gafael yn eu dwylo. Rheini'n fy nhynnu'n bellach oddi wrth y dibyn a'm dwylo inna'n gafael ynddyn nhw yn dynnach, dynnach.

Rhedeg hefo'n gilydd i lawr at gefn y capel. Un o'r plant yn disgyn a thynnu'r gweddill ohonom ar ei hôl yn bentwr pendramwnagl ar draws ein gilydd a phawb yn chwerthin, chwerthin, chwerthin.

'Ydach chi'n iawn blant?'

'Ma nghoes i'n gwaedu,' meddai'r efaill tawel.

Rhoi fy mraich o'i chwmpas, sychu'r gwaed oddi ar y cripiad bychan gyda bawd fy llaw chwith a'r deigryn oddi ar ei boch gyda hances boced a les gwyn ar ei hymylon.

Hithau'n gwenu arnaf drwy lygaid llaith, glas, cynnes.

'Be di'ch enw chi?'

'Gwenno ydi hi a Megan ydw i,' meddai'r efaill arall, yn amlwg wedi arfer ateb dros ei chwaer.

Gwenu ar Gwenno. Rydan ni'n dallt ein gilydd yn barod.

'Beth am fynd â chi adra at Mam?'

'Lle ma'ch hogan bach chi?' gofynnodd Gwenno.

Llyncu'n galed.

'Does gin i ddim hogan bach.'

'Ond rydach chi'n licio plant.'

'Ydw, mi ydwi'n licio plant. Rŵan adra â chi neu mi fydd Mam yn deud y drefn. Ddyliach chi ddim siarad hefo pobol ddiarth.'

Diniweidrwydd yn rhwygo pwythau craith atgofion. Mi fyddai 'y mhlentyn i yn bump oed erbyn hyn petai hi wedi byw. Ond chafodd hi fawr o gyfle.

Pan glywodd Richard mod i'n disgwyl plentyn yr oedd fel dyn lloerig. Doedd o ddim wedi rhoi caniatâd i mi beidio cymryd y bilsen, felly doedd gen i ddim hawl i'r plentyn oedd wedi dechrau tyfu yn fy nghroth. Fedrwn i byth fod yn fam addas. Fedrwn i ddim hyd yn oed edrych ar ei ôl o yn iawn heb sôn am gael plentyn hefyd. Ond er ei waethaf fe dyfodd y babi am bedwar mis.

Yr oedd y pwnio di-ben-draw a'r harthu diddiwedd wedi torri fy ysbryd ers tro ond meddyliais y byddai plentyn yn lliniaru tipyn ar ei dymer a rhoi rhywbeth iddo ymfalchïo ynddo. Dim byd o'r fath. Wna i byth anghofio'r chwerthiniad ffiaidd y noson y disgynnais i lawr y grisia. Yr oedd fel golygfa allan o ffilm arswyd pan fo'r anghenfil anferth yn ymfalchïo yn ei weithred ddychrynllyd.

Wedyn daeth tawelwch a thywyllwch. Deffrois i sŵn y cur yn fy mhen fel band taro yn cyhoeddi dyfodiad Mair yn Nrama'r Geni. Teimlais y sudd yn ceulo rhwng fy nghoesau a'r ofn yn peri i'r gwaed oedd yn dal i fod yn fy ngwythiennau fferru. Yn fy nychryn medrais fy nhynnu fy hun at y ffôn a galw naw, naw, naw. Wnaeth Richard ddim deffro nes y clywodd gloch y drws a finna'n gweiddi am help. Daeth stori ddigon rhesymol o'i geg ar unwaith a chydymdeimlodd y dynion ambiwlans ag ef yn ddiffuant. Ond ddaeth o ddim hefo fi i'r ysbyty — am ddilyn yn ei gar medda fo. Gofynnais i'r nyrsys beidio â gadael iddo ddod i ngweld y diwrnod cynta ond ddywedodd neb a oedd o wedi galw neu beidio.

Ond y diwrnod hwnnw fe afaelais yn fy merch fach am eiliad. Welodd hi erioed ola dydd. Talp llonydd glas, heb ei ffurfio'n llawn, yn ddiffrwyth oer yn fy nwylo. Fy nheimladau'n dryblith. Trodd poen y cleisiau dros fy nghorff yn belen galed yn fy nghylla a honno'n gwthio'i ffordd i fyny at fy nghalon a'i throi gyda dwylo penderfynol i yrru pob teimlad call i ffwrdd a'm gadael fel talp o bren rhad ar bentwr ysbwriel y gwely. Yr oedd Richard wedi medru dwyn hyd yn oed hon oddi arna i er ei bod yn ddiogel yn fy nghroth ac er gwaetha'r gofal a gymerais ohoni.

Gwrthodais edrych arno pan ddaeth i'm gweld toc yn llawn sioe a rhosys cochion. Gwyddwn na fedrai fy mrifo yn yr ysbyty.

'Mi gawn ni un arall un diwrnod pan fyddi di'n well,' meddai gan grechwenu fel llwynog yn amddiffyn ei genau. 'Mi gei ddod adre ddiwedd yr wythnos.'

'Ddo i ddim yn ôl i'r fflat,' medda fi.

'Wrth gwrs y doi di. Fedrwn ni ddim mynd i unlle arall.' A fynta'n trio cadw'i dymer ddrwg rhag gweddill y cleifion yn y ward. Roedd o'n iawn, wrth gwrs. I ble'r awn i? Doedd gen i ddim teulu na ffrindiau mwyach, roedd Richard wedi gwneud yn siŵr o hynny. Dim ond y fo a'i deulu gwên-deg. Ac roedd arna i angen to uwch fy mhen.

★   ★   ★   ★

Pan agorodd ddrws derw, trwm y fflat a'm helpu yn ddigon meddylgar i'r neuadd torrodd y lli ar fy nhristwch. Yr oedd llanast y gwaed yn dal i fod yno, wedi ceulo'n galed, ddu ar y carped gwyrdd golau. Ro'n i eisiau gweiddi — mi fedret fod wedi llnau hwn; roedd hi'n ferch i ti hefyd; dy waed di ydi o — ond fyddai fiw i mi fod wedi deud gair.

Y bore wedyn mi wnes fy ngorau i grafu gweddillion dymchwel fy ngobaith oddi ar y carped.

Dyna pryd y doist Ti i'm helpu, i resymu hefo fi a chadw synnwyr cymedrol yn 'y mhen i. Wyt ti'n cofio?
Ydw'n iawn, medda Fo, a'i lais llyfn yn llawn cyd-ymdeimlad. Mi eisteddais hefo chdi ar waelod y grisia a rhyngom ni mi benderfynom beth i'w neud.
Do, ond mi aeth pedair blynedd arall heibio cyn i ni dorri'n rhydd.

5

'Sea View',
Llandderig,
Gwynedd.

Mai 2, 1988

Annwyl Mam a Nhad,

Rydwi'n gobeithio yn 'y nghalon y darllenwch y llythyr
yma cyn ei daflu i'r tân. Mae gen i gymaint i'w ddeud
wrthach chi ond yn gynta mae'n rhaid i mi wybod eich
bod chi'n barod i wrando arna i ac i fadda i mi.

Mi synnwch weld y cyfeiriad ar ben y llythyr 'ma. Hen
dŷ Anti Dori ydi o — wedi newid ei enw. Rydwi wedi
bod yma ers tua mis bellach — ar fy mhen fy hun. Mi
adewais fy ngwaith yn Llundain i ddod yma am dipyn
o wylia. Ma hi'n hyfryd iawn yma ac mae dod yn ôl i'r
hen ardal wedi gneud lles mawr i mi. Mi ddylwn fod wedi
sgwennu atoch ers tro byd. Coeliwch fi, rydwi wedi dechra
amal i lythyr ond heb fedru ei orffen a'i yrru. Rydwi'n
gobeithio y deallwch pam ryw ddiwrnod.

Mi wn fy mod wedi ymddwyn fel ffŵl, yn gneud i chi
feddwl nad o'n i'n malio ynddoch chi o gwbwl, ond nid
dyna ydi'r gwir o gwbwl. Mae'n rhaid i chi gael y'ch brifo

35

am i mi fod mor esgeulus. Rydwi'n falch eich bod wedi mynd i Awstralia at Catrin a'i theulu — dwi'n siŵr ei bod yn braf cael bod yn Nain a Thaid go-iawn a gweld y plant yn rheolaidd. Ond mi fyddwn wrth fy modd petaech yn sgwennu ata i.

Mae gormod o bethau wedi digwydd i mi fedru sgwennu amdanynt yn y llythyr yma ac mae hi'n rhy fuan i hynny eto. Os ydych yn barod i wrando a deall mi fyddwn mor falch ac mi fyddwn ar ben fy nigon os medrwch fadda i mi am fy esgymuno fy hun oddi wrthych fel y gwnes i — credwch fi nad o'm bodd fy hun y gwnes i hynny. Rydwi wedi meddwl amdanoch chi i gyd bob dydd ers y Nadolig cynta hwnnw pan wrthodais ddod adre. Nid eich gwrthod chi yr o'n i ond gwrthod gadael i chi weld beth oedd wedi digrwydd i mi. Mi fyddwn wrth fy modd petaech yn sgwennu i mi.

Sut le sydd 'na yn Awstralia? Sut mae Catrin ac Alun yn hoffi ffermio yno? Mae'n wahanol iawn i ffermio yng Nghymru rwy'n siŵr. Faint o blant sydd ganddyn nhw rŵan? Faint ydi 'u hoed nhw?

Mam, ydach chi'n cadw'n iawn? Ydi'r haul yn cytuno hefo chi? Gobeithio nad ydych yn gweithio yn rhy galed a'ch bod yn medru mwynhau eich amser ymddeol. A Dad, ydach chi'n dal i fynd i bysgota a gneud y'ch plu y'ch hunan? Ydach chi'n cofio fel y byddan ni yn mynd o dan draed Mam ers talwm ac yn ista o dan yr hen ambarél fawr werdd ar lan Afon y Garreg yn trio dal digon o frithyll i wneud pryd? Roedd Mam yn siomedig iawn pan welodd pa mor fychan oedd yr un yr oeddan ni wedi ei ddal a ninna'n gorfod byta bara caws i swper y noson honno! Roeddan ni mor hapus yr adag honno i gyd hefo'n gilydd.

Ydach chi'n cofio fel y byddan ni'n dod yma i weld
Anti Dori o dro i dro a neb isio aros i de? Mi fyddach
chi bob amser yn gwneud dwsin o deisenna cri i fynd hefo
chi er mwyn i ni fod yn siŵr o fedru bwyta rhywbeth hefo'r
te — ar ôl i chi ailolchi'r llestri! Ond wyddoch chi be?
Mae hi fel petai yn dal i ista wrth y tân yn y gegin gefn.
Mi wnes i dân coed y noson o'r blaen a chael sgwrs iawn
hefo hi am yr hen ddyddia. Mi rown i rywbeth heddiw
i'w gweld hi o ddifri, mi fyddai'n gwmpeini. Ond
peidiwch â meddwl mod i'n colli arni chwaith! Rhyw gêm
i basio'r amsar oedd hon — dyna'r cwbwl. Rydwi'n falch
mai yma rydwi erbyn hyn. Fedrwn i ddim dod atoch chi
am lawer rheswm.

Mi fydda i'n ista wrth y ffenest ffrynt yn amal ac yn
edrych i lawr tua'r môr. Fyddwch chi ddim hiraeth ar ôl
yr olygfa 'dwch? Ma hi 'run fath ag y bu erioed am a wn
i. Waeth faint o dai wnan nhw eu hadeiladu rhwng y
mynydd a'r môr, dydyn nhw ddim yn amharu arni.

Mi fedrwn fynd ymlaen fel hyn am oria. O'r diwedd
mae sgwennu'n haws. Falla fod y llanw ar droi, mae o
wedi bod allan mor hir ac wedi ngadael i yn isel fy ysbryd.
Ond mi ddaw'r haul i wenu eto. Rwy'n siŵr o hynny
rŵan.

Rwyf yn gobeithio y gwnewch sgwennu'n ôl ata i pan
gewch gyfle. Peidiwch â gweld gormod o fai arna i am
y boen yr wyf wedi ei hachosi i chi. Mi rown rywbeth am
fod wedi rhedeg adre atoch.

Cofion cynnes atoch i gyd,

yn annwyl iawn,

SIW

37

6

Rydwi wedi bod ar biga drain drwy'r wsnos ers pan sgwennais at Mam a Nhad. Mae 'na ryw gyffro o obaith y tu mewn i mi fel tawn ar fin mynd ar lwyfan y Genedlaethol i ganu fy ngora a gobaith da am wobr gynta. Cryndod disgwylgar, dyrchafol. Ac aros ar y llwyfan hwnnw ydi'r peth gora i mi ei neud a dal i ganu. Unwaith bod y gân drosodd mi ddaw'r feirniadaeth yn rhy fuan a'r gwirionedd yn ei sgîl.

Does dim rhaid i bob beirniadaeth fod yn siomedig. Os maddeui i mi ddeud, mae gen ti fwy o obaith o lawer cael ateb cynnes, balch gan dy rieni o Awstralia na fydda gen ti byth o ennill gwobr am ganu mewn unrhyw steddfod heb sôn am y Genedlaethol!

Mae O ar 'i ora heddiw mae'n rhaid. Giglo'n blentynnaidd.

Rwyt ti'n iawn. Wnes i ddim canu ar ben fy hun ers y dwrnod hwnnw pan ganais 'Aderyn y To' yn steddfod bach y capal a mynd allan o diwn yn racs ar y 'G' ucha! Mi rydwi'n cofio hynny.

Dyna be wna i! medda Fi.

Be, canu yn steddfod Llandderig y mis nesa?

Naci siŵr.

Mi fydda hynny'n dangos i bobol ffor hyn pa mor uchal ydi safon 'u canu nhw, medda Fo.

Yn fuan iawn! Meddwl y bysa ymuno â chôr ne ddosbarth ymarfer corff neu rwbath felly yn syniad da.

Syniad ardderchog!

Wnes i ddim o'r fath ers pan o'n i'n yr ysgol. Mi fydda'n rhoi rhyw bwrpas i mi fynd allan.

Mi wnâi ddynas newydd ohonat ti, goelia i. Hobi hollol wahanol fydda'n troi dy feddwl di at y dyfodol.

Ia. Mi awn ni i'r llyfrgell i weld beth sydd ar gael ffor hyn. Mi ga i ddŵad hefo chdi felly.

Dydwi ddim yn mynd â chdi hefo fi i lle bynnag yr a i? Dim bob amsar.

Paid â bod yn wirion. Fedra i ddim gneud hebddat ti, rwyt ti'n gwbod hynny'n iawn.

Dydwi ddim yn drwglicio'r berthynas 'ma sydd gynnon ni.

Fedrwn i ddim gneud hebddi. Y mwya rydwi'n medru siarad hefo chdi y mwya rydwi'n dŵad ataf fy hun.

Mi ddown pan ddaw y 'Dolig.

Ac yn well fyth pan ddaw y gwanwyn! Mi fedra i deimlo'r cynnwrf heddiw.

Dyma fi'n gafael yn dynn am y ddau ohonon ni a dawnsio o gwmpas ystafell ffrynt Anti Dori a'r papur wal bloda glas a phinc a gwyrdd yn colli ei batrwm wrth i ni droi rownd a rownd yn gynt a chynt nes i ni gael y bendro a disgyn, gan chwerthin, i'r hen gadair wrth y tân oer.

Bron nad ydwi'n teimlo fel rhywun arall heddiw, fel petawn wedi neidio i gorff newydd a gadael atgofion ar ôl. Dewis y dillad mwya lliwgar sydd gen i o'r cwpwdd, sgert â phatrwm mathemategol mewn lliwiau elfennol arni, a chrys-T melyn lliw'r haul. Ma ngwallt i wedi tyfu'n rhy hir, mi a i i gael 'i dorri o mewn steil gwahanol, mi fydda hynny'n gneud i mi deimlo'n wahanol hefyd. Mi fu amser pan oedd yn rhaid i ngwallt i fod yn ddigon hir i mi fedru ei dynnu ar draws 'y nhalcen i guddio clais neu gripiad. Ddigwyddith hynny ddim eto.

Mynd yn syth i'r siop wallt ar gyrraedd y dre a bachgen tua'r un oed â fi yn llunio ngwallt i yn goron o gyrls ar y top, yn gwta y tu ôl a chyrlen hirach yn disgyn yn ddel o flaen un glust. Dipyn yn rhy soffistigedig i mi, a deud y gwir, ond yr oedd yn wahanol ac yr oedd hynny'n ddigon heddiw. Mynd i'r llyfrgell i chwilio am bamffledi hamdden ar yr hysbysfwrdd. Cyrsia amrywiol i'w dewis. Cwrs gwylia'r ha mewn crochenwaith — syniad da! Gwersi aerobig yn neuadd ieuenctid Capel Gwyn, y pentra nesa. A llond gwlad o gyrsia ar gyfer oedranna arbennig yn y Ganolfan Hamdden newydd sydd yn agor ddydd Sadwrn nesa ar y ffordd allan o'r dre i'r de. Mi fydda nofio yn un o'r petha gora i mi ei neud ac os ydi'r lle yn newydd, gora'n y byd, mi fydd pawb gymaint ar goll â finna!

Dewis llond llaw o'r pamffledi a cherdded fel hydd ifanc allan i'r stryd. Pobol yn heidio o'r maes parcio ar ddwrnod marchnad a finna'n cymysgu hefo nhw heb boeni fod neb yn mynd i fy nabod na theimlo fel dianc rhag y clostrophobia y byddwn yn ei deimlo mor amal. Cerdded i ffordd rhywun tal efo jîns glas a thwll yn y pen-glin, neidio i'r ochr i adael iddo fo fynd heibio a fynta yn neidio yr un ffordd.

'Mae'n ddrwg gen i,' medda fi.

'Arna i roedd y bai,' medda fynta mewn llais yr oeddwn

wedi ei glywed o'r blaen. Edrych i fyny a gwenu.

'Siwsan! Mi fyswn i wedi mynd heibio heb dy nabod. Be ar y ddaear wyt ti wedi ei neud i chdi dy hun, rwyt ti'n edrych mor wahanol?'

'Dyna oedd y syniad,' medda finna.

'Pam?'

'Teimlo felly!'

'Dydwi ddim yn dy ddallt di, Siwsan Rhys.'

Mi fydd yn rhaid i mi newid fy enw'n ôl hefyd, mae 'na dinc braf i'r hen un. Mi fydd pin sgwennu yn fferru yn fy llaw wrth i mi arwyddo fy sieciau gyda 'S. Warblington-Smythe'. Mi fydd fy haffla i'n llawn y dyrnodia nesa 'ma os ydw i am wneud trawsffurfiad llwyr.

'Coffi?' gofynnodd Ben.

'Pam lai!'

Cerdded i'r caffi pinc a phorffor a Ben wrth fy mhenelin fel gŵr bonheddig yn fy nhywys heb dynnu a gwthio yn flin fel y bydda Richard yn ei neud, ond fel ci defaid yn rhedeg yn llyfn drwy rwystrau'r ras ac yn hel y defaid yn saff i'r gorlan.

'Rhywbeth i'w fyta?' gofynnodd Ben.

'Mi hoffwn i frechdan cig oer a salad,' medda finna. 'Mi dala i.'

'Mi gei di neud hynny y tro nesa,' medda fo yn hollol naturiol fel petaem wedi bod yn cael coffi hefo'n gilydd ers oesoedd.

'Sut wyt ti wedi setlo i lawr yn y bwthyn?'

'Mae'r lle'n ddigon cyfforddus. Mi fydda hen fodryb i mi yn byw yno ers talwm, felly mae'n fwy cartrefol nag oeddwn yn disgwyl iddo fod.'

'Pa mor hir wyt ti'n meddwl aros?'

'Wn i ddim yn iawn. A deud y gwir mae'n dibynnu tipyn ar Mam a Nhad. Maen nhw'n byw yn Awstralia, yn ymyl Catrin.'

'Dy chwaer?'

'Ia. Mi liciwn i fynd i'w gweld eto ond dydwi ddim wedi clywed gynnyn nhw ers tro.'

'Pam?'

'Ma hi'n stori rhy hir, Ben. Paid â gofyn mwy o gwestiyna i mi. Ma heddiw yn ddwrnod da. Rydwi wedi ailadeiladu mwy heddiw nag a wnes i ers blynyddoedd.'

'Ro'n i'n meddwl dy fod yn edrych yn hapusach. Wn i ddim pam ond ro'n i'n teimlo yn annifyr ac ofnus yn dy gylch y dwrnod cynta hwnnw pan ddois ar dy draws yn y caffi 'ma.'

'Diolch i ti am fod mor garedig, Ben.' Fy nhro i rŵan ydi taro ei fraich o yn ysgafn mewn symbol o ddiolch.

Rhoi ei law fawr ystwyth dros f'un i a gwasgu'n ysgafn. Mae o'n edrych arna i fel petai'n medru gweld i berfeddion fy ysbryd. Rhwbio'r fan lle bu modrwy gyda'i fawd.

'Dydi ôl y fodrwy ddim yna ddim mwy.'

'Diolch am hynny,' medda fi dan fy ngwynt. 'Paid â sbwylio'r dwrnod i mi.'

'Mi hoffwn fod yn ffrind i ti, Siw.'

'Fel brawd?'

'Fel brawd os mai dyna wyt ti 'i isio.'

Nodio a gwenu'n wan. Mor hawdd ydi cau'r drws ar betha braf, mor anodd ei gau ar flinder.

Tynnu fy llaw ataf.

'Mae'n well gin i dy wallt di fel yr oedd o. Ga i ddeud hynna fel brawd?'

Nodio eto.

'Mi olchith steil gwallt allan yn ddigon hawdd ac mi dyfith eto.'

★ ★ ★ ★

Mynd adra ychydig yn llai brwdfrydig na phan es i'r dre y bore 'ma ond gam yn nes at fy gôl er hynny.

Wyt ti'n meddwl go-iawn y sgwennith Mam yn ôl ata i? gofynnaf iddo Fo cyn mynd yn hwyr i'r gwely.
Ydw, yn bendant.

7

Yn annisgwyl, fe ddaeth fy nghyfle. Fel arfer yr oeddwn wedi paratoi pryd maethlon wedi i ni ddod yn ôl i'r fflat gyda'n gilydd. Y fo'n eistedd yn y gadair freichia ledr, a'i draed ar stôl a'i ben ar glustog gyfforddus â gwydryn cristal o whisgi yn ei law. Y noson honno mi hoffwn inna fod wedi gneud yr un peth a theimlo'r whisgi'n treiddio i lawr y lôn goch, yn cynhesu fy nhu mewn ac yn dylu fy nghasineb. Ond yr oedd yn rhaid i'r dyn fwyta — a bwyta'n dda ac yn brydlon. Mi fydda darn o fara caws neu hyd yn oed faidd yr iâr y byddai Nain yn ei neud i ni ers talwm wedi gneud fy nhro i yn iawn. Flasodd o rioed faidd yr iâr wrth gwrs, fyddai bwyd y werin ddim yn addas iddo fo, ond mi fydda blas y llefrith cynnes yn syth o'r beudy a'r ŵy yn gynnes o nyth yr iâr, y bara newydd ei bobi a'r siwgwr yn haenen denau drosto yn ein cynnal ni drwy oriau o helpu hefo'r gwair. Dyddia hapus!

Mae'n rhaid i'w gylla fo ddechra cnoi yn gynt nag arfer neu i mi gymryd mwy o amser nag arfer yn paratoi'r cig eidion wrth drio'i wneud yn flasus. Daeth Richard i'r gegin gan hawlio'i fwyd a mygwth inna am fod mor hir. Yr oedd fy llais yn ddistaw a gofalus yn ei ateb.

'Fydda i ddim yn hir.'

Yr un oedd ei ymddygiad ef bob tro.

'Be ar y ddaear wyt ti'n 'i neud yn y gegin 'ma, ddynas? Rydwi eisiau fy mwyd. Mae dyn wedi bod yn gweithio'n galed drwy'r dydd yn haeddu cael ei fwyd yn brydlon. Mi fedrwn fod wedi mynd i hela'r cig a'i baratoi mewn hyn o amser.'

'Mae'r ddynas wedi bod yn gweithio hefyd.' Synnais at yr her yn fy llais, a thynnu fy hun yn dynn i ddisgwyl ei ymateb. Nid peth newydd fyddai iddo fy nharo am lai na hyn. Ond yr oeddwn wedi meiddio, a'r llais y tu mewn i mi'n gweiddi 'da iawn chdi!'

'Gwaith!' meddai'n ddirmygus gan anwybyddu'r her. 'Gwaith wyt ti'n galw eistedd wrth ddesg yn sgwennu llythyr neu ddau? Ac mi fyswn yn meddwl y bysa hogan hefo gradd grand fel sydd gen ti yn medru cael swydd yn talu'n well hefyd.'

'Dwi'n gweld dim o'r arian, felly waeth faint ydwi'n ei ennill.'

Dechreuodd grynu. Rhoddais blatiaid o fwyd ar y bwrdd o'i flaen wedi ei godi'n syth o'r sosban. Doeddwn i ddim yn teimlo fel bod yn bropor y noson honno. Er fy syndod eisteddodd i lawr heb ddweud mwy. Rhoddodd lond fforc o gig yn ei geg yn awchus fel petai heb fwyta ers mis. Yna tagu a thagu. Poerodd y bwyd allan ar draws y bwrdd. Taflodd y platiaid llawn ataf a nharo yn fy mhen a'm syfrdanu. Cymerais gam yn ôl a phwyso yn erbyn y cwpwrdd. Daeth tuag ataf yn araf, gam fesul cam o gwmpas y bwrdd, ei lygaid yn rhythu arnaf fel ci lloerig a'i ddannedd yn fflachio. Safodd o'm blaen, led troed i ffwrdd a phoeri gweddillion ei gegiaid i ngwyneb i.

45

'Mae 'na ormod o halen yn y bwyd,' meddai'n wyllt.
'Wyt ti yn trio ngwenwyno i?'

'Dim ond yr un faint ag arfer,' atebais yn ofnus, dawel,
gan anwybyddu y cymal olaf, ond sylwodd o ddim.

'Mae o'n hallt!' gwaeddodd.

'Mae'n ddrwg gen i, rydwi wedi blino heno. Falla i mi
roi halen ynddo ddwywaith heb feddwl.'

Ateb rhy dila o'r hanner, ond fedrwn i ddim mentro
mwy a fynta'n gafael yn dynn yn fy mreichiau fel petai
arno ofn i mi redeg i ffwrdd.

'Ond wyt ti ddim yn siŵr,' meddai drwy ei ddannedd
a phwyso yn fy erbyn. Yr oedd fy nghefn yn brifo yn erbyn
ymyl sgwâr y cwpwrdd paratoi bwyd. Rhoddais fy nwylo
y tu ôl i mi er mwyn medru gwthio tipyn yn ei erbyn.
Disgynnodd fy llaw dde ar y gyllell fara. Llyncais fy mhoer
fel y bydd sinc yn llowcian ei ddŵr, yn swnllyd.

Dyma'r cyfle! O'r diwedd mi fedrwn fod yn rhydd!
Neidiodd fy meddwl yn ei flaen sbonc ar ôl sbonc. Y
funud yr oedd ar y llawr mi fedrwn dynnu'r goriadau o
boced ei drowsus, agor y seff, cymryd yr arian, hel bagiaid
o ddillad at ei gilydd, galw tacsi, dal awyren i Awstralia
at y teulu ac mi fyddwn yn rhydd, rhydd, rhydd!

Yn araf aeth fy mreichiau o'i gwmpas. Yr oedd o'n dal
i rythu arnaf a'i afael yn dynn. Byddwn yn aml yn
arswydo'n anghynnes pan fyddai'n fy nghyffwrdd ond
doedd dim amser i feddwl am hynny y noson honno.
Ceisiais droi'r gyllell a'i hanelu rhwng ei ysgwyddau. Mi
fyddai cyllell fer wedi gwneud y dasg yn haws! Tynnais
fy llaw chwith o'i chwmpas i helpu'r llaw dde. Wyddwn
i ddim 'y mod i mor wan.

Yn sydyn, ymlaciodd, a gwenu a rhoi cusan fach swil

ar y clamp o lwmp oedd wedi codi ar fy nhalcen.

'Mae'n ddrwg gen i,' meddai. 'Ddylwn i ddim bod wedi gneud hynna. Rwyt ti'n wraig gwerth y byd, wyt wir.'

'Fydda neb yn gwybod hynny wrth dy glywed di'n siarad hefo fi.'

'Petaet ti'n fy nghofleidio i felna yn amlach falla y byswn inna'n fwy hydrin.'

Roedd o wedi meddalu am funud a chystal iddo fo fod wedi gneud fel y trodd petha. Wydda fo byth mor agos ddaeth o i beidio â ffraeo hefo fi byth wedyn. Gwnes iddo droi o gwmpas fel bod ei gefn o ar y cwpwrdd a rhoi'r gyllell yn ôl ar y bwrdd heb wneud smic o sŵn. Bu'n dawel weddill y noson honno. Bwytaodd ei fwyd heb rwgnach o gwbl ac aeth i'w wely fel oen, a gorweddais inna'n hir yn nŵr poeth, sebonllyd y baddon.

*   *   *   *

Nid yn aml y byddai'n hawdd i mi droi fy meddylia fy hun o gwmpas yn fy mhen a gwneud unrhyw synnwyr ohonynt. Bûm ar goll yn rhy hir. Sathrwyd fy hunan-barch fel stybyn sigarét i'r gro ac ni chododd pwff o fwg ohonof ers hydoedd. Ond y noson honno gwyddwn y medrwn ailgynnau tân brwdfrydedd a gobaith ynof fy hun ond i mi fod yn ofalus sut yr oeddwn i'n mynd i anelu'r fegin.

Yr oedd y noson yma'n wahanol i bob noson arall, gynt nac wedyn. Mi fedrwn fod wedi bod yn y ddalfa yn cael fy nghyhuddo o ladd fy ngŵr. Fferrodd y gwaed yn fy ngwythiennau wrth feddwl am y gell oer ddigysur a'r drws wedi ei gloi. Fyddai colli fy rhyddid yn ddim byd newydd; doeddwn i ddim wedi bod yn rhydd ers diwrnod fy mhriodas. Y diwrnod hwnnw oedd yr olaf i Richard gymryd unrhyw sylw o'm dymuniadau i. Cofiais fel y gofynnais i Caren, un o'r genod yn y swyddfa, ryw dri mis ar ôl iddi hi briodi.

'Wyt ti ddim yn teimlo dy fod wedi colli dy annibyniaeth?'

'Dim o gwbl,' meddai hitha, 'mae gen i fwy o annibyniaeth rŵan nag erioed o'r blaen. Mae pob gofal yn llai a Marc yno i nghysgodi fi rhag y byd. Does dim rhaid i mi weithio os nad ydwi'n mynnu gwneud. Mae o wedi cymryd yr awena ac mae o'n gyrru'r ceffyla yn ofalus rhwng y rhwystra a finna'n eistedd fel ledi yn y cerbyd. Ond nid unochrog ydi'r maldod chwaith. Mi fydda inna wrth fy modd yn gwneud 'i fywyd o'n haws hefyd. Rydan ni'n lwcus ein bod ni wedi dod ar draws ein gilydd. Does yna ddim byd fel priodas.' Daeth gwedd fuddugoliaethus dros ei hwyneb. Peth gwahanol iawn ydi priodas y tu ôl i bob drws ffrynt, goelia i.

Cymryd yr awena ei hun wnaeth Richard hefyd, ond mor wahanol oedd ei ddull o. Nid priodas o ryddid ond un o gadwynau oedd fy un i — ac yr oedd yn rhaid i mi dorri'n rhydd.

Roedd y penderfyniad wedi ei wneud. Yr oeddwn yn synnu ataf fy hun. Edrychais ar Richard drwy gil drws yr ystafell wely. Roedd o'n chwyrnu'n ysgafnach nag a wnaeth erioed y noson honno, y dwfe wedi ei dynnu'n dynn dan ei ên a throed noeth yn picio allan dros erchwyn y gwely. Golygfa a ddylai wneud i mi deimlo'n gynnes a chariadus ond ysgwyd fy hun yn annifyr yr o'n i yn ei wneud. Fedrwn i ddim mentro cysgu mewn gwely arall chwaith er mai dyna roeddwn eisiau ei wneud. Mi fyddai

wedi bod yn wirion gwneud iddo fy amau. Gwell oedd
dal i fyw fel arfer nes yr oedd y cynlluniau i gyd yn barod.

*   *   *   *

Aeth tri mis heibio, tri mis anodd. Fesul tipyn heliais gelc
bach yn y banc dan enw gwahanol. Gwerthais rai o'r
gemau yr oedd Richard wedi eu rhoi i mi, a chedwais beth
o'r arian yr oeddwn i fod i'w wario am fwyd a dillad.
Doedd hi ddim yn hawdd ymddwyn yn dan-din a fynta
â'i fys ym mhob brwas yn gwylio a chyfri. Doedd twyllo
erioed wedi bod yn fy natur i ond mi synnais fy hun lawer
gwaith y misoedd hynny. Yr oedd fy nhâl i yn cael ei dalu
yn syth i fanc Richard ac r'on i'n ddigon bodlon ar hynny
ar y dechra, gan i mi dybio y byddai'r ddau ohonom yn
medru defnyddio'r arian fel y mynnem ni, fel y bydda
Mam a Dad yn ei wneud. Ond nid felly y bu. Roedd yn
rhaid i mi ofyn yn neis am bob ceiniog. Medrais roi fy
nhâl mewn banc arall am dri mis a thrwy lwc rhyfedd
sylwodd o ddim. Ond fy mhres i oedd o, fy ngemau fy
hun a werthais, ac mi gawn fy rhan deilwng pan gawn
ysgariad cyfreithlon. Mi fyddai'n rhaid iddyn nhw wrando
arna i pryd hynny.

8

'Cartref',
Perth Road,
St. Katherine,
Western Australia.

Mehefin 6, 1988

Annwyl Siw,

Wyddost ti byth pa mor falch yr oeddym o dderbyn dy lythyr. Rydan ni wedi disgwyl yn hir iawn amdano ond daeth rhyw ryddhad a dychryn wrth weld dy ysgrifen ar yr amlen. Beth ar y ddaear wnaeth i ti feddwl na fyddem eisiau ei ddarllen? Cariad bach, rwyt ti'n dal i fod yn ferch i ni. Yr ydym wedi siarad am oria yn dyfalu pam a meddwl, efallai, mai arnom ni yr oedd y bai. Yr achos, yn ein meddylia ni, ta beth, oedd agwedd ffroenuchel Richard a'r ffaith ei fod eisiau dy gadw iddo fo'i hun.

Beth sydd wedi digwydd i ti, Siw bach? Mae'n amlwg oddi wrth dy lythyr fod dy fywyd wedi bod yn wahanol iawn i'r hyn yr oeddym ni yn ei feddwl. Gwyddost i ni ddod i Awstralia gan i ni dybio fod Catrin ein hangen ni yn fwy na chdi — falla nad oeddym ni'n iawn wedi'r cwbwl.

Wrth ddarllen dy lythyr drosodd a throsodd rydan ni'n sylweddoli fod rhywbeth mawr wedi digwydd. Pam na fuaset yn sgwennu'n gynt, neu yrru am docyn awyr i ti gael dod yma atom? Gad i ni wybod wyt ti isio i ni yrru tocyn neu arian i ti — mae gynnon ni ddigon yn y banc i hynny. Cynta'n y byd y medri ddeud mwy, cynta'n y byd y medrwn dy helpu di.

Fedrwn ni ddim coelio dy fod yn aros yn nhŷ Dori. Ydi'r lle yn dal i fod yr un fath? Gobeithio fod rhywun wedi llnau — doedd Dori ddim yn un am roi sglein ar ddim! Mae hi'n braf gwybod ble'r wyt ti, ond pam wyt ti ar dy ben dy hun? Wnest ti adael Richard, ynteu fo daflodd chdi allan? (Synnwn i ddim a deud y gwir, un slei braidd ges i o erioed — ond wedyn, doeddan ni ddim yn ei nabod o'n iawn.)

Rwyt ti'n gofyn amdanon ni. Mae Catrin ac Alun yn iawn ac yn hapus fel y gog ond eu bod yn gweithio'n galed. Dydi ffermio yma ddim yr un fath ag adra. Mae Dad a finna yn byw mewn tŷ bach reit ddel ar gwr pentra bychan Saint Katherine. Mae'r bobol yn ddigon cymwynasgar a ffeind ond mi fyddwn yn breuddwydio am Llandderig yn amal, dy dad a finna. Rydan ni'n gweld Jon a Mathew ac Elin yn reit amal. Jon ydi'r hyna. Mae o'n saith erbyn hyn, Mathew yn bump ac Elin fach yn ddwy. Mae hi'n ddigon o ryfeddod — yr un ffunud â chdi pan oeddat ti yr un oed. Mae hi'n ein hatgoffa amdanat yn amal. Un benderfynol, yn siarad pymtheg yn y dwsin, yn barod â gwên ar ei hwyneb bob amser. Llygaid gwyrdd fel chdi a'r rheini'n fflachio'n fywiog. Mae'r hogia'n dawelach, yn enwedig Mathew. Mae ei ben o mewn llyfr beunydd fel y proffesor bach. Rygbi ydi petha Jon. Mae o'n debyg iawn i'w dad, yn help mawr ar y ffarm yn barod ac eisiau chwarae yn nhîm rygbi Awstralia rhyw ddydd — mi gawn ni weld!

Ydi, mae dy dad yn dal i sgota, ond nid mewn afonydd bach clir fel Afon y Garreg gyda glannau gwyrdd a choed yn gysgod. Mae yma lynnoedd mawr wedi eu creu ar gyfer meithrin pysgod ac yno y bydd dy dad yn ista dan yr un hen ambarél werdd — yr unig beth gwyrdd i'w weld yn y lle ac mae honno wedi ei gwynnu gan yr haul. Roedd o wrth ei fodd dy fod yn cofio am y brithyll. Chawsom ni fawr o ginio y diwrnod hwnnw, rwyt ti'n iawn.

O, Siw, mor braf ydi medru siarad hefo ti fel hyn. Rydwi'n teimlo fel taen ni erioed wedi colli cysylltiad â'n gilydd. Mi wn fod gormod ar dy feddwl di i ti fedru deud popeth ar unwaith, cymer dy amser 'y merch i. Mi gei bob cefnogaeth gynnon ni os medrwn ni helpu rhywfaint — dim ond i ti ddeud. Mae Catrin am sgwennu hefyd os ydi hynny'n iawn. Maddau i mi am fod mor ofalus 'y nghariad i ond dydan ni ddim isio brifo mwy arnat ti nag sydd raid.

Paid byth â meddwl dy fod angen maddeuant gynnon ni. Wnest ti ddim ond yr hyn oedd raid, mi wyddom hynny. Mi fedra i dy weld di rŵan yn sefyll wrth y giât yn Heathrow a'r dagrau yn llifo i lawr dy wyneb di. Mi dybiais y pryd hynny, pan deflaist dy ddwylo allan y munud olaf, beth oedd yn bod. Roeddat ti'n edrych fel yr hogan bach honno ddisgynnodd i'r pwll padlo, ei dillad yn wlyb domen a braw ar ei hwyneb yn erfyn arna i i'w hachub. Heddiw mi wn i pam 'y nghariad i.

Sgwenna eto'n fuan i ni gael clirio'r trwbwl 'ma ac efallai y cawn dy weld hefyd cyn bo hir. Mi fyddem yn hoffi hynny yn fwy na dim arall. Paid â bod yn rhy annibynnol y tro yma i ofyn am unrhyw beth. Rydan ni i gyd yma yn dy garu fel y gwnaethom erioed beth bynnag sydd wedi digwydd rhyngom.

Ein cofion anwylaf atat, Siw,

MAM a DAD

9

Fu gen i ddim ffrind go-iawn wedi i ni briodi. Doedd yna
ddim pwynt datblygu cyfeillgarwch heb fedru cyfarfod
am goffi neu bryd, heb fedru siarad yn rhydd am
ddigwyddiadau bob dydd, heb orfod celu pob gofid. Ond
yn awr yr oedd gen i angen ffrind. Fedrwn i ddim troi
at Nhad a Mam er mai dyna ddylwn i fod wedi ei neud.
Bryd hynny roedd gen i ormod o gywilydd fod 'y mhriodas
i drosodd. Ro'n i mor isel fy ysbryd fel mai prin y medrwn
godi fy mhen i edrych ar neb. Ond hyd yn oed yr adeg
honno yr oedd y gronyn bach o styfnigrwydd oedd gen
i ar ôl yn deud wrtha i mai fi yn unig fedrai nghodi i allan
o'r twll du yr oeddwn wedi taflu fy hun yn ddall iddo.
Ond yn y budreddi yr oedd gwrtaith a'r hedyn lleia wedi
ei blannu yn ddyfn ynddo. Teimlais ef yn cynhyrfu,
symud a thyfu'n araf, araf a gwthio'i goesyn hir yn ofalus
drwy'r pridd tywyll caregog i ddangos, toc, y dail melyn
cyntaf a'r rheini'n troi yn wyrdd iraidd. Erbyn hyn, yn
niogelwch fy ngwreiddiau, yr oeddwn yn disgwyl yn
amyneddgar i'r blagur flodeuo'n rhosyn coch llawn.

Roedd geneth iau na fi yn y swyddfa. Geneth dawel,
braidd yn blaen, yn gwisgo'n hen-ffasiwn, bob amser
mewn sgidia fflat a blows yn cau'n dynn dan yr ên. Roedd

hi'n falch o nghwmni i ar ambell awr ginio ac, o dro i
dro, cymerem ryw awr ychwanegol o seibiant i fynd i'r
parc neu i edrych o gwmpas y siopau.

Unwaith, gwelais Richard yn dod i'n cyfarfod ar hyd
y stryd, ei drwyn yn yr awyr ac yn siglo'i ambarél o'i law
chwith er nad oedd wedi bwrw ers dyddia. Wrth lwc, y
fi a'i gwelodd *o* gynta a thynnais Dawn i mewn i siop lestri
a honno'n methu deall pam! Dyna'r pryd y ces i gyfle
i ddeud wrthi beth oedd yn digwydd, nid y cwbl wrth
gwrs, dim ond digon iddi ddeall pam yr oeddwn am adael
Richard ac i gael ei chydymdeimlad a'i help. Daeth dagrau
i'w llygaid.

'Wna i byth briodi,' meddai. 'Fyddai neb f'isio i p'run
bynnag, ond wna i byth briodi rŵan.'

'Gwnei siŵr,' medda finna. 'Dydi pob dyn ddim fel
Richard yn hunanol, yn genfigennus ac eisiau rheoli ei
fyd bach tila ei hun. Dydi o ddim yn sylweddoli pa mor
gul ydi'n bywyd ni. Cawr mawr ydi o yn tynnu 'i nerth
o feddwl ei fod o'n bwysig — yn 'i feddwl ei hun. Ond
"truenus" ydi'r gair iawn amdano.'

Penodwyd diwrnod ym mis Ebrill, cyn gwylia'r Pasg.
Mi gawn guddio am bedwar diwrnod llawn wedyn heb
orfod mynd i'm gwaith. Roedd y syniad yn fendigedig
ar y pryd. Perswadiodd Dawn ei rhieni i adael i mi rentu
ystafell yn eu tŷ nhw. Aeth hi â'r parseli bychain dyddiol
yn ôl gyda hi. Doedd fiw i mi fynd i weld y tŷ — mi fyddai
hynny wedi codi'r gorchudd ar fy mhlaniau. Ar wahân
i hynny aeth popeth arall yn ei flaen yn berffaith.

Ond yn y fflat moethus yn Kensington doedd hi ddim
yn hawdd cuddio pob teimlad. Ambell dro byddai fy

mrwdfrydedd yn berwi y tu mewn i mi ac yr oedd yn anodd cadw'n dawel a salw.

'Rwyt ti'n edrych yn hapus iawn heddiw,' meddai Richard un diwrnod. 'Be sy? Wyt ti wedi sylweddoli o'r diwedd pa mor dda ydi hi arnat ti?'

'Ella mod i,' atebais inna gan osgoi ei lygaid a mynd ati i dwtio pentwr o lyfrau oedd eisoes yn ddigon twt. Yr oedd yn haws bod yn ddihidio yr wythnosau hynny, haws dioddef y cerydd beunyddiol, y beirniadu llethol a'r curo di-baid. Dim ond un peth ysgydwodd fy mhenderfyniad.

'Mi fydd yn rhaid i ni feddwl am ddechrau teulu yn o fuan,' meddai Richard yn annisgwyl hollol y pnawn Sul olaf.

'Wn i ddim,' medda finna'n ofalus.

'Roeddat ti wrth dy fodd yn disgwyl y llall,' meddai, gan guchio'i dalcen llydan yn rhychiog fel cae aredig ar lethrau'r Geufron.

'Hwnnw oeddwn i 'i isio.' Falla 'i fod o wedi ama rhywbeth. 'Rwyt ti wedi newid dy diwn yn sydyn.'

'Naddo. Doedd yr amser ddim yn iawn o'r blaen. Rydan ni'n fwy sefydlog rŵan.'

'Dim ond yn dy feddwl di. Y babi hwnnw o'n i ei isio, Richard, a wna i byth anghofio beth wnest ti.'

Dyna fi wedi rhoi fy nhroed ynddi hi rŵan. Wyddwn i ddim beth i'w neud.

'Bydd yn ofalus 'y ngenath i. Fyswn i ddim yn deud petha felna.'

Gafaelodd yn dynn yn fy mraich â'i law dde, a'm gên â'i law chwith a gwthio mhen i'n ôl nes i mi weiddi gan y boen.

'Baglu ar draws dy ŵn nos wnest ti — mi wyddost yn iawn. Sut gwyddwn i dy fod wedi cymryd cyffuria y noson honno. Doeddat ti ddim yn sad ar dy draed.'

'Wnes i ddim cymryd cyffuria,' medda finna'n bendant, araf.

'Hy!'

Gwthiodd fi oddi wrtho a diolchais nad oeddwn wedi dweud mwy.

Er i mi ailfeddwl am eiliad pan soniodd am blant, diflannodd y syniad yr un mor sydyn. Rhoddodd ei ymddygiad sêl ar fy nghynlluniau i gyd. Y Sul wedyn mi fyddwn yn nhŷ Dawn, yn fy ngwely newydd ac wedi cael gwared â Richard am byth.

Diniweidrwydd plentyn. Saith ar hugain oed a finna'n dal i feddwl y byddai pob dim yn iawn unwaith y byddai'r weithred wedi ei chyflawni. Doeddwn i'n wirion dywed? medda Fi.

Dim o gwbl, Siw bach. Ond rydw i'n synnu nad oeddat ti'n disgwyl i Richard ddod ar dy ôl di, medda Fo, fy ffrind penna.

Breuddwyd gwrach oedd o mae'n debyg. Ond mi gafodd 'i falchder o gymaint o sioc.

Mi hoffwn fod wedi gweld 'i wyneb o pan ddaeth i dy gwr' di i'r swyddfa y diwrnod hwnnw a'r genod yn deud wrtho dy fod wedi mynd adre'n gynharach.

Wnaeth o ddim meddwl am hir fy mod i wedi meiddio 'i adael o. Meddwl 'y mod i 'i angen o gymaint ag yr oedd o f'angen i. Ond doeddwn i ddim yn malio am ei deimlada fo y pryd hynny.

Mae cynllunia bob amser yn ymddangos yn rhwyddach

a mwy slic yn y paratoi nag ydynt yn y gweithredu. Fedri di ddim rhagweld ymateb teimlada sy'n cuddio ymhob encil — mae'r rheini yn newid pwrpas y paratoi.

Ddylet ti ddim bod wedi deffro'r bore 'ma medda Fi wrth fy ngwrthrych anniben, salw yn y drych. Mae'r sgerbwd llygad-ddu yn rhythu arna i, fel buwch dros wrych cae lle mae'r gwellt wedi crino. Tynnu fy llaw esgyrnog, wen o dan siôl wlân ddu oedd unwaith mor ffasiynol ond sydd heddiw yn gwneud i mi edrych fel hen nain. Estyn fy mysedd at fy moch a'r ewinedd coch yr oeddwn wedi eu paentio neithiwr, mewn ffit o obaith anobeithiol, yn gwaedu ar y croen llwyd fel ag y gwnaeth hwnnw unwaith o'r blaen wedi cripio brwnt, cenfigennus.

Pam oedd Richard mor ddrwgdybus, wn i ddim. Rois i erioed reswm iddo ymddwyn mor filain.
Dy drin di fel darn o'i eiddo roedd o, medda Fo dros fy ysgwydd.
Perthyn i'r oes o'r blaen wyt ti'n ei feddwl?
Ia, ond falla nad ei fai o oedd hynny i gyd.
Wel, wnes i ddim rhoi'r syniad yn 'i ben o.
Paid â bod mor gwta, nid beirniadu rydw i, medda Fo o ganol ei ddoethineb. Roedd gan 'i deulu o forynion i neud popeth drostyn nhw. Hyd yn oed yn blentyn mae'n debyg nad oedd yn rhaid iddo ond codi 'i fys bach a byddai ei ddymuniad yn cael ei wireddu ar ei union.

Mae 'na lot o ddynion felly o gwmpas o hyd, tysa hi'n mynd i hynny. Mae 'na fai ar y mamau.

Mae pawb yn deud hynna!

Ond mi fyswn i wedi gweini arno fel Martha drafferthus yn barod iawn petai o wedi fy nhrin i gydag unrhyw fath o barch, neu wedi fy ystyried i am funud. Y peth gwirion ydi y medrwn ni fod wedi bod yn hapus. Doedd gennym ni ddim i boeni amdano mewn gwirionedd, y ddau ohonom mewn swyddi da. Fflat drud yr oedd ei rieni wedi ei brynu iddo pan aeth i'r coleg.

Wnaeth 'i deulu o ddim datblygu teimlad o sicrwydd ynddo felly.

Wrth edrych yn ôl, medda Finna, mi fedra i weld pam hefyd. Cael ei feithrin gan bwt o hogan oedd yn esgus nyrs plant ond heb ei dysgu'n iawn — merch i ffrind y teulu heb ddigon yn 'i phen hi i fynd i'r coleg a'i theulu heb ddigon o bres i'w chynnal nes iddi briodi. Honno'n eu herio un munud a rhoi da-da iddynt y munud nesa. Mae plant yn deall beth ydi bygwth hyd yn oed os na fedrant neud dim yn ei gylch. Yna, cael ei yrru i ffwrdd i'r ysgol yn chwech oed heb ddeall pam. Fedra fo erioed goelio stori ei rieni mai er ei les ei hun yr oeddynt yn ei yrru i ysgol breswyl. Yna'n syth i fyw yn y fflat ar ei ben ei hun nes y daeth myfyriwr arall i rannu'r gost hefo fo — nid ffrind oedd hwnnw chwaith. Cael gwared ohono wnaethon nhw yn union fel y rhoesant ei chwaer, a gafodd ei geni gydag anfantais, mewn ysbyty meddwl am ei hoes. Dydwi ddim yn gwybod fawr am blant ond mi wn na fedrwn yrru fy mhlentyn fy hun i ffwrdd. Mi fyddwn isio 'i nabod o, gofalu amdano a'i garu o, a'i gael ynta i ddangos ei gariad a'i barch ataf inna. Mae'n rhaid i'r

dderwen wrth gysgod yn ifanc neu thyfith hi ddim yn gry.
Rwyt ti'n fwy clir dy feddwl y bora 'ma a thipyn o'r hen
feddalwch yn codi 'i ben, medda Fo.
Gobeithio wir, medda Finna. Mae'n haws dod o hyd i
esgusion wrth edrych yn ôl. Ella mai angen ei fwytho drwy
'i ieuenctid eto yr oedd; ei feithrin fel y bydd anifail yn
gofalu am ei genau; ei ddysgu sut i ddangos ei deimlada.
Ond mae hynny'n rhy hwyr rŵan.
Ydi'n lot rhy hwyr. Ond fedra i ddim peidio â meddwl
y medrai petha fod wedi bod yn wahanol.
Paid ag erlid dy hun. Doeddat ti ddim yn ddigon siŵr
ohonot dy hun ar y dechrau. Mae'n rhaid i'r ieuanc
ddysgu byw ddiwrnod ar y tro a dydi rhai pobol byth yn
dysgu gymaint ag yr wyt ti wedi ei ddysgu yn barod.
Roeddat ti mewn breuddwyd o barchedig ofn.
Dwi'n siŵr dy fod yn iawn. Ond petawn i ddim wedi ei
briodi mi fyddai rhywun arall wedi dioddef yr un fath.
A falla na fysa honno mor gry â chdi.
Fi'n gry? Na, dydw i ddim yn gry.
Mi gadwaist dy ben, ta beth. Dyna wnaeth y gwahaniaeth
yn y pen draw. Dyna pam yr wyt ti fan hyn heddiw ac
nid yn y carchar.
Ia, mwn.

Dechrau synfyfyrio eto. Bob dydd — edrych i lawr tua'r
môr a sugno nerth o'r cyfarwydd, hen. Ond daw niwl
cyson rhyngof a'r gorwel fel y daw wrth ddarllen llyfr —
dalennau yn mynd heibio a'r ystyr heb dreiddio i'r
ymennydd. Pryder ac ymgolli yn cau gwythiennau
synnwyr ac yn gyrru'r gwenwyn i frifo'r fynwes a thynnu
gwynt o'r ysgyfaint a'm gadael yn flinedig, ddiymadferth.
Pan ddaw'r nos ni ddaw cwsg chwaith. Drychiolaeth y

gorffennol yn rhwyllo plisgyn tenau fy meddwl a llenwi tyllau'r ebill â hoelion wyth yr ing.

Bws coch Huw Ifas yn dod i fyny'r allt o dan y tŷ a thorri drwy niwl fy myfyrdod a'r haul yn fflachio ar y ffenestri yma ac acw wrth iddo droelli'n ofalus i osgoi'r ceir a'r corneli bachog. Dwylo'n chwifio'n egnïol o'r bws a finna'n chwifio'n ôl heb feddwl fod neb yn fy ngweld yn sefyll yn fy nghoban wrth ffenestr ffrynt bwthyn Anti Dori. Sylweddoli y medrai rhywun fod wedi fy ngweld, a rhedeg i'r gegin fel yr oedd y bws yn aros gyferbyn â'r tŷ. Rydw i wedi fy nal rŵan. Trio cuddio y tu ôl i'r llenni ond mae'r plant yn pwyntio at y tŷ — y ddwy yr un ffunud â'i gilydd.

*   *   *   *

Tua dau o'r gloch. Dyma gnoc ar y drws cefn a chwerthin cyffrous yn ei ddilyn.

'Ma Mam yn gofyn fysach chi'n licio dŵad i gal te yn tŷ ni heddiw?'

'O-o-o-nd, dydw i ddim yn nabod y'ch mam,' atebaf, a'r syndod o'u gweld a chlywed eu neges yn codi atal dweud arna i.

'Ond rydach chi'n nabod ni,' meddai Megan.

'Ac mi neuthoch chi sychu gwaed oddi ar 'y mriw i hefyd,' meddai Gwenno, ei llygaid yn syllu'n erfyniol arna i yn union fel plentyn yn cardota ar strydoedd Rio.

'Wel, dowch i mewn am funud.'

'Geith Mam ddŵad hefyd?' Roedd llais Megan yn awyddus.

'Wrth gwrs y caiff hi.'

Rhedeg i fyny'r grisiau tua'r palmant a Gwenno'n

gwthio'i llaw yn swil i'm llaw i. Megan yn dod yn ei hôl
gan dynnu merch yn ei thridega, siriol yr olwg, ar ei hôl.
Sefyll gan edrych yn syn ar ein gilydd.

'Sioned!' . . . 'Siwsan!' meddai'r ddwy ohonom ar yr
un gwynt. Y ddwy fechan o'r neilltu i ni yn edrych arnom
a'u cegau'n agored.

*   *   *   *

Mae hi'n llawer haws siarad hefo Sioned nag y byddwn
wedi tybio. Mae'r plant yn help wrth gwrs. Y nhw oedd
wedi dod o hyd i mi gynta, felly eu heiddo nhw oeddwn
i. Dim ond siarad am y presennol heddiw, am y plant,
am ddigwyddiada bach bob dydd. Synnu hefyd nad ydi
Sioned yn gofyn fawr amdana i. Ond un feddylgar,
dreiddgar oedd hi yn yr ysgol. Mi fyddai'n hawdd deud
cyfrinach fach wrthi; roedd hi'n gwbod sut i ddal 'i thafod.
Ma hi'n edrych i fyw fy llygaid a gwenu'n ysgafn dawel
fel petai'n medru darllen fy ngofid i gyd yn y gwyrddni
niwlog.

'Tyd draw hefo ni am y pnawn,' meddai, a does gen
i ddim esgus i ddeud 'na'.

'Mae'r genod bach 'ma'n werth eu gweld ac mor
annwyl.'

'Mi fedran nhw fod yn ddireidus ddigon hefyd. Aros
i ti eu clywed yn siarad eu hiaith eu hunain, fedrwn ni
ddim dweud beth sy'n mynd ymlaen rhyngddynt bryd
hynny.'

'Mae gan Catrin dri o blant. Wyt ti'n ei chofio hi?'

'Wrth gwrs 'y mod i. Dydi hi ddim yn byw yn Awstralia
neu rywle tebyg?'

'Ydi, yn ymyl Perth. Mae hi ac Alun yn ffermio yno.'

63

'Ro'n i'n meddwl fod dy rieni wedi mynd i fyw hefo nhw.'

'Ydyn, mae nhw wrth 'u bodd yn helpu hefo'r plant.'

'Fysa ddim gwell gen ti iddyn nhw fod wedi aros adra?'

'Bysa, heddiw, ond rois i ddim rheswm iddyn nhw aros.'

Sioned yn troi ei phen ac edrych arna i drwy gil ei llygad, yn ofalus.

'Ar ben dy hun wyt ti rŵan?'

'Ia.'

'Mae'n ddrwg gen i, Siw.'

Fedrwn i ddim ei hateb a dydi hi ddim am bwyso arnaf yn ymwthiol chwaith. Dydwi ddim eisiau amharu ar ddiwrnod braf na rhoi rheswm i Sioned feddwl fod yn rhaid iddi hi wrando arna i. Mae yma awyrgylch heddychlon braf yn ei thŷ hi. Tŷ i fyw ynddo fo ydi o. Teganau yng nghwr y soffa, pentwr o bapura yn y gornel a'r clustoga angen eu hysgwyd. Pan mae rhywun yn byw ar ei ben ei hun does 'na ddim yn digwydd i greu anhrefn. Fyddai fiw i mi fod wedi gadael i'r fflat fynd yn flêr; roedd yn rhaid i bopeth fod fel pin mewn papur bob amser; mi fyddai mynd adra iddo yr un fath â mynd i ystafell ffug mewn siop ddodrefn.

Ond dyna ddigon o feddwl yn ôl. Mae'r pnawn yma wedi bod mor hapus. Rydwi'n teimlo fel petawn i wedi dod adra.

'Genod! Mae'n amser te. Cerwch i olchi'ch dwylo.'

Mewn chwinciad mae Megan a Gwenno yn eistedd un bob ochr i mi ac yn gwneud i mi fwyta brechdana jam cartra, teisen gri a tharten fala.

'Fyddan nhw ddim yn rhoi cymaint o sylw i bawb,'

meddai Sioned gan wenu ar yr efeilliaid. Mae'n amlwg fod yr haul yn gwenu ar y ddwy o hyd yn ei meddwl hi. A dyna sut y dylai fod.

'Newch chi fynd â ni i'r mynydd eto?' gofynnodd Gwenno gan bwnio fy mraich i wneud yn siŵr fy mod yn gwybod ei bod yn siarad hefo fi.

'Os bydd Mam yn fodlon.'

'Plîs, Mam, gawn ni fynd hefo Anti Siw?'

'Mae hynny i fyny i Siw,' meddai Sioned. Mae hi'n trio darbwyllo'r plant rhag i mi eu siomi. Fedrwn i ddim gneud hynny.

'Wrth gwrs y gwna i,' medda finna. 'Beth am bicnic ddydd Sadwrn nesa?'

'O, ia!' meddai'r ddwy fel un.

'Be dach chi'n hoffi ei fyta ora?'

'Siocled, a chyw iâr, a chreision, a coca cola.'

'Dyna ddigon,' meddai Sioned, ei llais yn newid. Roedd y plant yn gwybod ei bod hi o ddifri.

'Sori Mam, sori Anti Siw.'

'Falla fod Anti Siw yn rhy brysur.'

'Ond ma hi ar ei gwylia,' meddai Megan.

'Sut ydach chi'n gwbod hynny?' medda finna.

'Dim ond pobol ar eu gwylia sy'n byw yn "Sea View", meddai Gwenno.

Roedd gan y rhain ateb i bopeth.

'Mi gewch fynd os hoffith Anti Siw fynd â chi. Mi fedrwn ni i gyd fynd.'

'A Dad?'

'Ac Yncl Ben?'

Codi nghlustia. Pwy oedd Yncl Ben?

*   *   *   *

Ar ôl heddiw does dim dwywaith beth sydd arna i ei angen. Cwmni pobol sy'n byw yn naturiol heb ddadansoddi pob gair a symudiad. Pobol sy'n byw yn ôl eu greddf yn hytrach nag yn ôl rheolau artiffisial llyfrau neu'r bobol drws nesa.

Rwyt ti wedi bod ofn cymysgu hefo pobol eraill ers blynyddoedd, medda Fo, oedd yn disgwyl wrtha i pan ddois yn ôl i'r bwthyn.
Do, medda Finna, ond mae pob diwrnod yn datgelu rhywbeth newydd. Heddiw, mae'n ymddangos mai cwmni ydi'r ateb.
Mae gen i syniad dy fod yn o agos i dy le.

Y peth braf oedd peidio â meddwl am ddim ond y funud honno. Mae'r plant bach yna mor ddigymell, ac mae ganddyn nhw ryw allu rhyfeddol i ddeall meddwl rhywun a theimlo'r awyrgylch o'u cwmpas. Fedra i ddim aros tan ddydd Sadwrn i mi gael eu cwmni nhw eto!

11

'Sea View',
Llandderig,
Gwynedd.

Mehefin 28, 1988

Annwyl Mam a Dad,

Diolch i chi am eich llythyr caredig. Rydych chi'n iawn,
mae'r blynyddoedd yn diflannu fel candi fflos ar dafod
wrth ei ddarllen. Mi es i lawr heibio i'n tŷ ni ddoe. Roedd
hi'n anodd iawn peidio â mynd i mewn drwy'r giât, ar
draws yr ardd — sydd mor lliwgar ag yr oedd pan oedd
Dad yn ei thrin — ac i mewn drwy ddrws y cefn. Dyna'r
tro cyntaf i mi fynd yn agos ato ers i chi adael. Wedi cael
eich llythyr roedd gen i hawl rywsut i fynd i fyny ar hyd
y lôn eto — dyna faint o wahaniaeth wnaeth clywed
gennych ar ôl yr holl flynyddoedd unig.

Mi wnes yn iawn i ddod yma am ychydig. Wyddwn
i ddim am unlle arall y medrwn ddianc iddo. Do, mi
feddyliais fwy nag unwaith am hedfan atoch chi i
Awstralia. Un noson mi alwais y tacsi i fynd â fi i

67

Heathrow ond mi benderfynais fod yn rhaid i mi ddidoli fy mywyd fy hun er mwyn ailgydio yn fy hen hyder a'm hunan-barch. Fel plentyn yn dechrau cerdded, rydwi wedi cymryd y cam cynta. Wedi cerdded o gwmpas y dodrefn mor hir rydwi'n sefyll ar fy nhraed fy hun. Mi hoffwn ddod i'ch gweld yn fuan.

Mi fu Richard farw yn sydyn. Fuo fo ddim yn ffeind iawn wrtha i a phriodas anhapus iawn gawsom ni. Wyddwn i ddim fy mod mor ddiniwed. Mi wnes fy ngora, coeliwch fi. Ar y dechra ro'n i'n awybyddu ei dempar brau a'i law drom. Yna meddyliais y medrwn ei newid a rhoi mwy o bwrpas i'w fywyd ond mi laddodd bob sbarcyn o frwdfrydedd ynof at ein priodas gyda'i fygwth beunyddiol. Mi gymerodd flynyddoedd i mi fedru torri'n rhydd.

Mam, mi fyddai gen i ferch, yr un oed â Mathew bach Catrin, petai hi wedi byw. Mi'i collais hi wedi ei chario am bum mis. Mi ddylai fod wedi byw — mi gymerais gymaint o ofal ohoni. Fyswn i byth wedi disgyn i lawr y grisiau yn fwriadol. Ro'n i gymaint o'i heisiau. Bryd hynny yr oeddwn eich angen chi fwyaf, pan oeddwn yn rhy hurt i feddwl drosof fy hun ac yn rhy ddiymadferth i fentro allan. Mae'r hunllef honno yn dal i'm deffro yn y nos a'm harswydo yn ystod y dydd. Mi fyddai cofleidio Elin, Mathew a Jon yn dâl mawr am 'y ngholled i.

Rydwi wedi gneud tipyn o ffrindia hefo efeilliaid sy'n byw yn rhes y capel. Dod ar eu traws pan es am dro i'r mynydd y diwrnod o'r blaen. Mi wnaethon i mi chwerthin go-iawn a buom yn rhedeg drwy'r gwair fel y bydda Catrin a finna yn ei neud pan oeddan ni'n blant. A wyddoch chi pwy ydi eu mam nhw? Sioned Morys oedd yn yr un

dosbarth â fi yn yr ysgol. Mi briododd Arthur, hogyn o'r
dre oedd yn dipyn hŷn na ni. Maen nhw'n ymddangos
yn hapus iawn. Rydan ni i gyd am fynd am bicnic i'r Cae
Glas ar odre'r mynydd ddydd Sadwrn os bydd hi'n braf.

Mi ddois ar draws un o'r hogia oedd yn yr un dosbarth
â fi yn yr ysgol unwaith neu ddwy. Dim ond hefo fo yr
ydwi wedi cael sgwrs go-iawn. Mae o'n gwybod lle mae
amryw o'r hen griw ond dydwi ddim yn barod i gyfarfod
gormod o bobol eto. Mae o'n deud y daw o i ngweld i
yr wythnos nesa. Mae o wedi bod yn annwyl iawn. Wn
i ddim faint mae o wedi ei amau ar wahân i'r ffaith fod
'y mhriodas i wedi ei therfynu. Fedra i ddim ymddiried
mewn dyn eto fel yr ymddiriedais yn Richard. Mae'r
syniad o briodi eto'n codi cyfog arna i. Ond mi fyddai'n
braf cael ffrind.

Rydwi'n tin-droi yn fy unfan yn y fan hyn y rhan fwyaf
o'r amser ond rydwi'n dechra mwynhau byw ar fy mhen
fy hun — mae gan hynny ei fanteision. Dyna fydd yn rhaid
i mi ei neud bellach, felly waeth i mi ddechra cynllunio'r
dyfodol o gwmpas hynny. Ond yn gynta, mae'n rhaid i
mi eich gweld chi i gyd. Waeth i mi heb â chwilio am
swydd newydd os ydwi am ddod i Awstralia am fis neu
ddau. Mae'r cwmni yn Llundain wedi gaddo fy swydd
yn ôl i mi os gwna i benderfynu cyn diwedd yr ha.

Beth am i mi ddod atoch ar gyfer y'ch gwanwyn chi?
Twyllo'r tymhora a chael dau wanwyn mewn blwyddyn!
Os na wnaiff hynny ysgogi brwdfrydedd a nerth newydd
mi fydd yn rhaid i mi ailfeddwl y rhaglen adfer i gyd! Mi
fydd mor braf eich gweld i gyd eto.

Fy nghariad mawr atoch i gyd,

Siw

69

12

Digon hawdd deud heddiw y dylwn i fod wedi gadael
Richard yn gynt. Dydi rheswm ddim yn arwain synnwyr
ar adega fel hyn. Mi fu rhieni Dawn yn ddigon ffeind
wrtha i.

Ond mynd yn ôl wnest ti, medda Fo.
Ia, mynd yn ôl. Beth arall fedrwn i 'i neud? medda Finna.
Cadw at dy benderfyniada, siŵr.
Mae'n ddigon hawdd i ti siarad.
Petaet wedi gneud hynny mi fuaset yn nes at ailadeiladu
dy fywyd heddiw.
Tybed?
Mi aeth dwy flynedd arall heibio.
Do, ond fydda nghydwybod i ddim mor glir.
Pam?
Mi wnes y dewis ddeng mlynedd yn ôl, roedd yn rhaid
i mi gadw at f'addewid.
Dim pan oedd y dyn yn dy gam-drin di gymaint. Fydda
neb yn disgwyl i gi ddiodda fel y gwnest ti.
Ffyddlondeb.
Paid â gneud i mi chwerthin.
Mae'n rhaid i ti gofio nad oedd gen i neb arall yn y byd
yr adeg honno.

Mi fedret fod wedi mynd i Awstralia.

Yn dy feddwl di falla, ond nid hynny oedd yr ateb iawn y pryd hynny.

Ond mi fydda dy rieni wedi agor eu breichia i ti.

Mi wn i hynny rŵan, ond roedd petha'n wahanol y pryd hynny.

A beth am Dawn a'i theulu? Roeddan nhw wedi bod yn garedig ddigon.

Oeddan, ond dieithriaid oeddan nhw.

Roedd hynny i fod i roi gwell cyfle i ti ddechra o'r newydd. Wnest ti drio dechra o'r newydd erioed? Dydi hynny ddim mor hawdd ag yfed paned o de neu gau drws, coelia fi. Ro'n i'n ista yn yr ystafell wely yn nhŷ Dawn wedi gwrthod mynd i lawr i ymuno â nhw o flaen y teledu. Wel, fedar rhywun ddim taflu 'i hun ar drugaredd pobol felly, roeddan nhw wedi gneud digon i mi yn barod. Ar wahân i hynny, doeddwn i ddim yn gwmni gwerth 'y nghael chwaith. Mi eisteddais ar y gwely hwnnw noson ar ôl noson a dim i nifyrru ond fy meddylia. Fedrwn i ddim canolbwyntio ar lyfr na phapur newydd. Mi driais ddechrau gwnïo eto — y brodwaith manwl fyddai'n rhoi cymaint o blesar i mi unwaith — ond doedd yna ddim pwynt mewn dim. Doedd yna ddim pwrpas bod yn fyw tra o'n i'n cuddio fel camelion ar goeden ofn symud rhag cael 'y nal.

Wyt ti rioed yn deud fod hynny'n waeth na ffraeo'n feunyddiol a chael dy daro nes dy fod yn gleisia i gyd?

Na, poen gwahanol oedd o.

Mi fyddet wedi tyfu allan o hynny toc a gneud ffrindia newydd.

Sut fedrwn i neud hynny wedi ngharcharu mewn ystafell wely chwe llath sgwâr a gormod o ofn mynd allan?

Ond roeddat ti'n dal i fynd i dy waith.

Oeddwn. Buan iawn y bu trai ar lanw eu caredigrwydd nhw hefyd. O'r blaen ro'n i'n cadw gwên ar 'y ngwynab a jocian hefo pawb i guddio beth oedd y tu mewn i mi. Wedyn, doedd dim rhaid i mi smalio dim mwy, roedd pawb yn gwybod beth oedd wedi digwydd. Does neb yn mynd i gymryd sylw o rywun sy'n isel yn rhy hir. A doedd gen inna ddim nerth emosiynol i frwydro yn erbyn fy anhapusrwydd.

Mi ddylet fod wedi mynd at y doctor.

Mi wnes i hynny.

Wnaeth o ddim dy yrru di at arbenigwr?

Naddo, dim ond rhoi potel o bilsenni i mi, deud mod i'n lwcus nad oedd gen i blant o'r briodas ac i mi symud i dre arall ac ailddechra byw.

Pa ddoctor gwerth 'i halan sy mor gyfyng ei welediad?

Mae'n siŵr nad y fo ydi'r unig un.

Doedd bod mewn gwagle felly ddim yn hawdd.

Wn i ddim ydi bywyd i fod yn hawdd, ond mi benderfynais yn y diwedd mai'r peth gora i'w wneud fydda mynd yn ôl.

Beth petai Richard wedi dy wrthod?

Dyna oedd yr unig beth sicr ymysg yr holl amheuon.

Sut felly?

Bob dydd ar y dechra, ar ôl iddo sylweddoli mod i'n meddwl ei ysgaru, roedd llythyr ar fy nesg oddi wrtho. Wnes i ddim hyd yn oed ei agor ar y dechra. Doeddwn i ddim isio i ddim siglo mhenderfyniad. Ro'n i wedi cymryd digon o amser i dorri'n rhydd, doedd o ddim yn

mynd i newid 'y meddwl i gyda'i eiriau llithrig, ffals.
Falla 'i fod o yn meddwl beth oedd o'n ei ddeud.
Oedd, ar y pryd. Does yna ddim amheuaeth am hynny.
Roedd y cardia i gyd yn dy law di felly.
Mi fysat yn meddwl hynny!

Roedd y penderfyniad i hel 'y mhacia a mynd yn ôl i'r fflat moethus yn Kensington yr un mor boenus â'r penderfyniad i adael yn y lle cynta. Ddyliwn i wneud hynny? Doedd dim dwywaith fod manteision o blaid dychwelyd i gartref cynefin gyda'i ystafelloedd cynnes, ei brysurdeb (roedd edrych ar ôl Richard yn ôl ei ofynion ef yn llyncu'r oriau) ac yr oedd yn gymar er ein bod yn ffraeo o hyd. Ond ffraeo am ddim y byddem ni. Rhyw bethau bach y dylid eu hanwybyddu. Efallai fod unrhyw berthynas yn well na bod heb yr un?

Un noson, braidd yn hwyr, mi ffoniais Richard. Pan gododd y derbynnydd galwodd fy enw cyn i mi ddweud gair, heb iddo wybod pwy oedd yno. Ysgytwyd fi gan yr erfyn yn ei lais. Dyma'r tro cyntaf yr oeddwn wedi siarad ag ef. Yr oedd pob cysylltiad arall wedi bod drwy lythyr. Dechreuodd ymbil arna i i ddod yn ôl, ac am ychydig o leia, roedd yr awena yn fy nwylo i.

'Plîs, Susan,' meddai, 'tyd yn ôl ata i. Rydwi bron â mynd yn wallgo yn y fan yma ar fy mhen fy hun. Mi wn mod i wedi bod yn gas wrthat ti ond isio i bob dim fod yn berffaith yr o'n i.'

'Richard, Richard, bydd ddistaw am funud.' Roedd yn rhaid i mi weiddi i lawr y ffôn.

'Tyd adra, tyd adra.'

Erbyn hyn yr oedd yn crio a chefais gyfle i siarad.

'Gwrando, Richard, ffonio yr ydw i i ddeud y dof yn

ôl atat ti, ond mae'n rhaid i ti wrando ar beth sydd gen i i'w ddeud hefyd.'

'Mi wna i, mi wna i.'

'Mae'n syn clywed fod arnat ti gymaint o hiraeth amdana i. Wnest ti rioed ddangos cymaint â hyn o deimlad o'r blaen.'

'Wedi sylweddoli mod i'n dy garu di yr ydw i.'

'Wyt ti'n siŵr?'

'Ydw . . . ydw.'

'Rhaid i ti addo, felly, na wnei fy nharo eto am unrhyw reswm yn y byd.'

'Na, wna i ddim, wir yr.'

'Na dim mwy o ffraeo cas?'

'Iawn.'

'Mi fydd gen i isio mynd allan ar fy mhen fy hun neu hefo Dawn weithia heb i ti fod wrth fy sawdl o hyd.'

'Os mai dyna wyt ti ei eisiau.'

'Ac mae fy nhâl i yn mynd i'r banc yn fy enw i!'

'Ond . . .'

'Dim "ond" o gwbl. Dyna nherma i, Richard. Fedra i ddim byw fel yr oeddan ni o'r blaen.'

'Pryd y doi di adra?'

'Pnawn fory. Mae gen i ddiwrnod rhydd i mi gael digon o amser i neud beth sydd rhaid.'

'Mi arhosa i adra fory felly.'

'Na, Richard. Dos i dy waith fel arfer. Mi fydda i wedi sortio pob dim allan cyn i ti ddod adra. Tyrd ti â phryd hefo chdi o'r caffi bach Indiaidd yna ar dy ffordd adra. Dydwi ddim wedi cael cyri ers wythnosa.'

'Ond . . .'

'Wyt ti ddim isio mhlesio i?'

'Ydw siŵr. Cyri amdani! Rwyt ti o ddifri, dwyt ti, Susan?'

'Mi fydda i yn y fflat pan gyrhaeddi adra ar fy ngair. Tan fory felly, nos da.'

'Nos da . . . a Susan, d-d-d-iolch i ti am ddŵad yn ôl.'

Pan roddais y ffôn i lawr yn ei grud ro'n i'n teimlo yn ddigon bodlon, 'y nghalon i'n curo fel drwm timpani a nghoesa yn simsan ar y naw! Ond roedd y weithred wedi ei gwneud unwaith eto. Pam roeddwn i'n teimlo mor hapus y funud honno, wn i ddim. Doedd dim dwywaith fod ymddygiad gostyngedig Richard, ei erfynion a'i grio wedi gwneud i mi deimlo mai fi oedd yn mynd i ennill y rownd nesa. Chlywais i erioed Richard mor ansicr, mor ymbilgar nac mor anhapus chwaith.

*   *   *   *

Unwaith eto mae O yn dod yn ei ôl. Wnaiff O ddim gadael llonydd i mi. Does gen i ddim cymaint o'i angen erbyn hyn. Mae'r awyr yn clirio yn ara deg ac er ei bod yn dal braidd yn gymylog, dydi'r düwch cleisiol ddim mor amlwg. Mi fedraf ddringo weithia i orwedd arnynt a chau fy llygaid a breuddwydio. Breuddwydio am Elin a Mathew a Jon, breuddwydio am Mam a Dad a Catrin, breuddwydio am weithio eto ymysg criw hapus a chael hwyl. Yr unig dro y bydda i'n teimlo fy hun yn disgyn drwy'r cwmwl fel un mewn hunlle ofnus ydi pan fydda i'n edrych ar ddarlun hapus o'm teulu bach fy hun yn eistedd o gwmpas bwrdd brecwast, ar lan y môr neu o flaen coeden Nadolig. Does rhaid i mi ond troi fy nghefn arnynt am eiliad ac mae'r tri yn diflannu i drobwll diwaelod a finna'n disgyn ar eu hola nhw i ebargofiant.

Wnest ti ddim clywed yr 'ond' dywed? medda Fo.

Doeddwn i ddim isio clywed hynny y noson honno. Ond rwyt ti'n iawn, mi ddylai fod wedi bod mor amlwg â chofgolofn Nelson yn Sgwâr Trafalgar, medda Finna. Mae'n hawdd clywed geiriau heb amsugno'r ystyr y tu ôl i feddwl sy'n siarad fel y bydda Richard yn ei wneud.

Yr un un oedd o felly?

Ia, yr un hen gachgi oedd yn glên am funud ac yn lloerig y munud nesa. Mi gawsom ein hwythnosa hapusa wedi i mi fynd yn ôl ond mae'r rheini fel pyllau llonydd, heulog yng nghanol môr terfysglyd. Fu fo ddim yn hir cyn troi at ei hen dricia. Ond doedd rhaid i mi ond bygwth mynd a'i adael eto ac mi gawn lonydd am ddiwrnod neu ddau. Mi ddylet fod wedi gneud iddo fynd at seiciatrydd.

O, mi wnes i grybwyll hynny unwaith a chael clustan go arw am fy nhrwbwl. Cau 'y ngheg fu'r peth gora i'w wneud hefo fo erioed.

Sut y medraist ti gymryd y bai am bopeth, fedra i byth ddallt?

Merwino ma rhywun. Mi fyddwn yn teimlo weithia petai wedi torri nghnawd i'n rubana hefo'r gyllell fwya miniog fyddwn i ddim wedi teimlo dim ac wedi marw'n ddiolchgar.

Fu'r iselfryd cynta hwnnw yn ddim o'i gymharu â'r hyn ddaeth yr ail dro. Doeddwn i ddim wedi gwella digon cyn mynd yn ôl i mi fedru brwydro yn erbyn ymddygiad afresymol gŵr oedd fy angen fel ei eiddo ac ar yr un pryd mor genfigennus o bopeth o'm cwmpas. Oeddwn, ro'n i'n well allan yn faterol oherwydd i mi fynd yn ôl, ond mi dalais yn ddrud am y ddwy flynedd ychwanegol. Falla y byddwn i wedi ailgydio yn fy hunan-barch a chadw fy synnwyr petawn heb fynd yn ôl. Ymhen wythnosau ro'n i'n symud fel sombi ac yn mynd o gwmpas fy mhetha yn otomatig fel gweithiwr o flaen belt cludo mewn ffatri blastig.

Ond ffawd gymerodd yr awena oddi arna i yn y diwedd, a wn i ddim hyd heddiw sut y medrais dreulio chwe mis yn gofalu am holl anghenion Richard. Dyletswydd, a'r syniad yr oeddwn wedi ei ddysgu ganddo ef ei hun o roi sioe realistig o flaen y byd a diodda yn dawel yn y cysgodion, roddodd y nerth i mi mae'n debyg.

Ydan ni ddim am fynd allan heddiw felly, medda Fo.
Esgob annwyl, faint ydi hi o'r gloch?
Bron yn dri.
Mi fydd y siopa yn dal ar agor os awn ni'n fuan. Mae angen mynd i brynu cyw iâr, y creision, y coca-cola a'r siocled ar gyfer y picnic fory. Bu bron i mi anghofio wrth ista yn fan hyn gan fyw yn y gorffennol. Fydda'r plant byth yn madda i mi pe bawn yn anghofio.
Mi fydda Sioned yn siŵr o weu rhyw stori gredadwy. Mi fedri sgwennu nodyn a'i roi drwy'r drws heno wedi iddi dwyllu os wyt ti wedi newid dy feddwl, medda Fo.
Dos yn fy ôl i, Satan.
Mae'n rhaid i ti fynd am y rheswm iawn. Wneith trio plesio pobol erill mo'r tro o hyn ymlaen. Mi fydd y plant yn siŵr o wybod os mai trio bod yn neis, am nad oes gen ti neb arall, yr wyt ti.
Ond dydi hynny ddim yn wir.
Just testing!
Wna i fawr o'i le tra byddi di o gwmpas. Mae'n rhaid i mi ddeud dy fod ti'n gneud i mi chwilio i berfeddion

fy ymwybod am fy ngwir anghenion. Rydwi'n nabod fy hun yn well na wnes i rioed.

Tyfu i fyny fuasai rhai pobol yn galw hynny.

Ia, mwn. Fedar hynny ddim bod yn ddrwg felly.

Da i gyd, fyswn i'n ei ddeud, a finna'n cymryd atat ti yn fwy bob dydd.

Wyt ti'n meddwl mod i'n haws byw hefo fi rŵan felly.

O lawer. Rwyt ti'n ymlacio mwy o hyd.

Mi ddyla hynny neud synnwyr. Ro'n i wedi datblygu llygaid y tu ôl i mhen ers blynyddoedd a'm clyw i wedi miniogi o wrando am bob symudiad.

Mi ddaw y rhinwedda yna yn handi eto ryw ddiwrnod, mi gei di weld.

Be wyt ti'n ei feddwl rŵan?

Dim ond meddwl am y dyfodol.

Un dwrnod ar y tro wnaethon ni ei addo, yntê.

Iawn, un dwrnod ar y tro amdani, felly. Lle mae dy bwrs di neu mi fydd yn rhaid iti siomi'r plant bach yna fory.

13

Mae hi'n fore Sadwrn braf ym mis Gorffennaf a'r haul yn codi'n binc meddal y tu ôl i'r Garn. Mi fydd hi'n ddiwrnod iawn am bicnic heddiw. Fydd dim rhaid i ni ddisgwyl i'r gwlith godi, mae'r cae o flaen y tŷ heb sglein toriad dydd.

Ys gwn i faint o frechdana ddyliwn i eu paratoi? Does gen i ddim syniad faint mae genod bach chwech oed yn ei fwyta. Gwell i mi wneud gormod na rhy chydig. Fyddwn ni ddim yn gorfod cario'r picnic yn bell, felly mi fedra i fentro rhoi potel o win yn y fasged i Sioned a fi, a thùn neu ddau o gwrw i'r dynion. Peth rhyfedd na fysan nhw wedi deud pwy oedd yr Yncl Ben 'ma. Mae'r plant yn amlwg yn mwynhau ei gwmni.

Cyrraedd Rhes y Capel a'r plant yn aros amdana i. Rhedeg ataf a lluchio'u hunain o gwmpas fy ngwddf. Mynd i'r tŷ oedd yn edrych y bore 'ma fel petai lleidr wedi bod drwy'r lle a heb glirio ar ei ôl.

'Madda'r llanast 'ma, Siw,' medda Sioned, ond doedd hi ddim yn malio am yr annibendod. 'Dydi hi ddim ots gin ti fod Ben yn dŵad hefyd, ydi?'

'Dim o gwbwl,' medda finna heb ddangos dim teimlad.

'Mi fydd o'n dŵad yma i ginio bob dydd Sadwrn a mynd â'r plant allan yn y pnawn.'

'Gobeithio nad ydwi wedi sathru ar ei draed o felly. Fydd o ddim isio i mi fod o gwmpas.'

'Nid un felly ydi Ben,' meddai Sioned. 'Erbyn meddwl rwyt ti'n gwbod pwy ydi o'n iawn ond prin y gnei di 'i nabod o o ran 'i weld heddiw.'

'Pwy ydi o felly?'

'Brawd Arthur. Roedd o'n yr un dosbarth â ni yn yr ysgol ond fyddan ni ddim yn cymryd fawr o sylw ohono fo y pryd hynny.'

'Ben Wilias wyt ti'n ei feddwl?'

'Ia, pwy fysa'n meddwl dy fod yn ei gofio!'

'Mi ddois ar ei draws yn y dre y dwrnod cynta i mi gyrraedd.'

'Ddeudodd o ddim. Biti ne mi fysan ni wedi gwybod pwy oeddat ti'n gynt, a fysat ti ddim wedi bod ar dy ben dy hun heb nabod neb am yr holl wsnosa.'

' 'Y mai i oedd hynny. Mi ddeudis wrtho nad o'n i isio cyfarfod neb. Mi welis i o ryw ddwywaith ar ôl hynny hefyd.'

'Mae'n rhaid i mi ddeud na fu neb y medrwn ni ymddiried ynddo fo yn fwy na Ben. Mae gynno fo'r ymddygiad anwyla hefo'r plant 'ma.'

'Pwy sy'n defnyddio f'enw i heb ganiatâd?' Mae Ben yn dod i'r ystafell yn cario Megan a Gwenno a'r rheini yn rhoi cusan bob yn ail ar ei fochau blewog.

'Gadwch i Yncl Ben fod, da chi blant,' meddai Sioned heb arlliw o sŵn cerydd yn ei llais.

'Siwsan!' meddai Ben. 'O ble doist ti?'

'Ni ffendiodd hi ar y mynydd,' meddai'r efeilliaid fel un.

'Un o'r Tylwyth Teg ydi hi felly,' meddai Ben gan wincio arna i.

Y plant yn chwerthin.

'Naci siŵr, ond ma hi'n licio cerddad ar y mynydd heb 'i sgidia,' . . . 'Ac mi aeth hi drwy gylch y cerrig hud,' meddan nhw, un ar ôl y llall.

'Rydwi'n iawn felly,' meddai Ben. 'Dim ond y Tylwyth Teg sy'n gneud petha felly.'

Pam rydwi'n gwrido at fôn fy ngwallt, wn i ddim. Does neb yn cymryd digon o sylw i sylwi arna i'n iawn. Ond dydw i ddim yn teimlo mod i wedi dod ar eu traws nhw chwaith.

Sioned yn mynd drwodd i'r gegin gefn a Ben yn ei dilyn a finna'n eu clywed nhw'n siarad yn ddistaw.

'Be wyt ti'n ei feddwl sy'n bod arni hi, Sioned?'

'Wn i ddim yn iawn. Mae'n rhaid ei bod wedi cael ysgariad. Rydwi'n siŵr iddi hi briodi hefo Sais o Lundan.'

'Dyna ydw i'n 'i feddwl hefyd. Ma hi'n edrych gymaint gwell nag oedd hi pan ddois ar ei thraws yng nghaffi Twm. Roedd hi'n wlyb doman wedi bod yn cerdded yn y glaw ar y cei.'

'Wnest ti ei nabod hi felly?'

'Do, dyna pam y dilynis i hi i'r caffi ond doedd hi ddim isio deud dim.'

Finna'n meddwl, yr un slei meddylgar iddo fo!

'Wnes i ddim gofyn gormod o gwestiyna chwaith, dydwi ddim isio ei gyrru hi i ffwrdd. Ma'r plant wedi cymryd ati. Maen nhw'n byhafio mor naturiol mae'n amlwg ei bod hi wrth ei bodd yn eu cwmni nhw. Ei syniad hi oedd y picnic yma hefyd.'

'Gobeithio y gneith o les iddi hi felly,' meddai Ben.

★　★　★　★

Mynd yn griw hapus i fyny i'r Cae Glas uwchben y weirglodd a'r plant yn dewis llecyn gwastad ger y ffrwd fechan gyferbyn â phont gul o lechen las. Cymaint o siarad yn mynd ymlaen o nghwmpas i fel nad oedd yn rhaid i mi ddeud fawr. Chwarae cuddio ymysg y coed mwyar duon oedd yn dechrau troi'n goch. Yna'r plant yn dringo'r coed cyll a Ben a finna'n smalio bod yn anifeiliaid cas yn rhedeg ar eu holau. Sioned ac Arthur yn cymryd mantais o'r cyfle i orwedd yn y gwair a chau eu llygaid am ennyd. Ninna'n rhedeg nes yr oeddan ni allan o wynt.

'Cystal mod i wedi ymuno â'r dosbarth aerobig yn y Ganolfan Hamdden newydd,' medda fi. 'Dydwi ddim yn ffit iawn y dyddia yma.'

'Chdi fydda'r un heini ers talwm. Mi fyddat yn ennill pob ras,' medda Sioned. Finna'n trio deud nad oeddwn i ddim mor dda â hynny.

'Mi ddown i hefo chdi os bysa rhywun yn edrych ar ôl y plant.'

Ma hi'n pwnio Arthur yn 'i asenna a hwnnw'n nodio, 'Iawn,' o ganol 'i gwsg.

'Ches i ddim cymaint o hwyl ers pan fyddan ni'n dŵad yma hefo Nain a Taid pan oeddan ni'n blant,' medda fi.

'Mae hwn yn lle braf i ddŵad â'r plant. Mae arnyn nhw angen rhyddid i redeg o gwmpas,' medda Sioned.

Bwyta'r picnic. Y plant yn bwyta un frechdan rhyngddynt, darn bychan o siocled a sip o ddiod. Fedran nhw ddim eistedd yn llonydd o gwmpas llond lliain bwrdd o fwyd pan mae cymaint o betha mwy diddorol i'w canfod yn y gwrychoedd a'r afon.

'Ddylet ti ddim bod wedi prynu gwin, Siw,' medda Sioned.

'Dim ond trît bach i ddeud diolch am fod mor neis wrtha i,' medda finna.

'Ond rydan ni'n ffrindia erioed ac rydwi'n falch o ddod ar dy draws di eto.'

'Dydwi ddim isio bod ar y ffor.'

'Deud wrthi hi, Ben.'

'Be?'

Mae o'n synfyfyrio i ddŵr clir yr afon ac yn naddu cwch bychan allan o ddarn o bren bob yn ail, ond mi fedra i ddeud fod 'i feddwl o'n bell.

'Ceiniog amdanyn nhw,' medda finna.

'Dwyt ti ddim isio gwybod, Siw.'

Be mae o'n 'i feddwl ys gwn i? Falla mai fel yna y bydda i'n edrych pan fydda i'n mwydro yng nghanol fy meddylia fy hun ac yn cadw pawb arall allan. Oes gan Ben ei stori ei hun tybed? Dydi bywyd neb yn llyfn a didramgwydd. Rydan ni i gyd yn meddwl bod bywyd wedi bod yn anodd weithia a phobol wedi bod yn gas wrthan ni. Mi fedar athro yn yr ysgol ddeud rhywbeth i lorio plentyn am flynyddoedd hir; mi fedar rhieni fod yn rhy rydd neu'n rhy gyfyng; mi all rhieni farw neu ysgaru ond mae'n rhaid i'r plentyn dyfu orau y gall o er gwaethaf popeth. Mae cyfyngderau yn llorio un ac yn rhoi cymhelliad i lwyddo mewn un arall. Biti na fysa hi'n haws deall meddylia pobol.

Mae Ben yn rhoi'r cwch bach, fflat yn yr afon y tu draw i'r bont fechan, las a honno'n symud yn dawel ar y lli araf a'r plant yn gweiddi 'Hwrê!' wrth ei gweld yn dod i'r golwg yr ochr yma i'r bont. Mi fydda hen gariad i mi yn Llundain yn mynd â fi i Henley ar ddiwrnod braf ac mi fyddwn yn mynd mewn 'pwnt' ar y Tafwys a bwyta cyw iâr ac yfed gwin yn ôl arfer y difyrrwch hwnnw wrth lechu dan y coed helyg ger y lan. Yr un ydi'r pleser heddiw. Nid y lle ond y cwmni sy'n gwneud diwrnod yn bleserus.

Dod o hyd i'r ffynnon y bydda nain Mam yn tynnu dŵr ohoni, a blasu'r dŵr. Blas dihalog, clir, glaw mynydd, sy'n llawer gwell na'r gwin a gawsom hefo'n cinio. Mynd yn ôl ati am wydryn o dro i dro drwy gydol y pnawn rhwng chwaraeon y plant. Toc maen nhw'n dechra baglu dros welltyn, swnian a gofyn am stori. Mae gwely'n galw.

Blinder gwahanol iawn ydi blinder awyr iach, rhyw flinder cyfan, boddhaol. Rydwi'n teimlo heno fel y gwnes i wedi dringo'r Wyddfa am y tro cynta — rhyddhad a balchder o lwyddo i ddringo i'r copa a'r cyffro gogoneddus o weld yr olygfa o'm cwmpas. Fel y plant, mi gysga inna heno.

★   ★   ★   ★

Mae Ben yn benderfynol o fy nanfon i adra i fwthyn Anti Dori a fedra i ddim ei yrru i ffwrdd o'r drws.

'Coffi?'

'Rydan ni'n cael coffi yn ddigon amal, beth am bryd yn y dre?'

'Mi hoffwn hynny ond wn i ddim oes gen i'r nerth. Wnes i ddim gymaint â heddiw ers misoedd lawer.'

'Wyt ti wedi bod yn sâl, Siw?'

'Mi fedret ddeud hynny.'

'Mi wn i nad wyt ti isio siarad am y gorffennol ond ga i ofyn un cwestiwn i ti?'

Edrych arno ym myw ei lygaid am y tro cynta.

'Dyna'r peth lleia fedra i ei neud a chditha wedi bod mor ffeind wrtha i.'

'Mae'n amlwg fod rhywbeth ofnadwy wedi digwydd i ti. Rydwi'n gaddo peidio crybwyll y peth eto . . . Wnaeth rhywun dy gam-drin di, Siw?'

Eistedd yn dawel am funudau hir a gwyro fy llygaid i syllu ar fy nwylo wedi eu gwasgu'n ddyrnau tynn ar fy nglin.

'Ydi o mor amlwg â hynny?'

Ben yn codi ac estyn ei law i gyffwrdd fy mraich.

'Na, paid â nghyffwrdd i, Ben.'

Yntau'n tynnu draw a lliain sidan o boen tryloyw yn crynu ar ei wyneb.

'Wnes i rioed ddeud dim wrth neb. Mae Mam yn gwybod tipyn bach, ond dim y cwbwl o bell ffordd.'

'Mae'n ddrwg gen i. Does dim rhaid i ti ddeud mwy.'

'Oes, mae arna i isio deud wrthat ti. Dydwi ddim am i ti feddwl mod i wedi troi yn bwdlyd a sobor cyn fy amser.'

Dyma dy gyfle di, Siw, medda Fo, yn fy annog ymlaen. Rwyt ti'n gneud yn iawn. Un naid arall a mi fyddi'n sefyll yn syth eto.

Wyt ti'n siŵr?' medda Finna.

Yn bendant, medda Fo. Mi fedri di ymddiried yn hwn. Wnaiff o ddim chwerthin am dy ben na'th feirniadu'n hallt. Pwy arall fydda wedi bod mor gynnes a ffeind? Rwyt ti'n iawn. Dydi hyn ddim yn mynd i fod yn hawdd. Mi driaist fod yn ddewr o'r blaen mewn gwahanol ffyrdd.

Fyddai'r rheini ddim wedi bod yn ddoeth. Dyma fydd cryfder a dewrder.

Gafael yn fy llaw i 'ta.

Ddeudis i ddim wrtha ti y byddwn i wrth d'ochor di bob amser?

Un, dau, tri, i ffwr â ni!

Mae Ben yn ysgwyd ei ben yn araf, fel petai ddim yn gwybod sut i gydymdeimlo hefo fi. Mae o mor amyneddgar yn gwybod mod i angen amser i dynnu fy hun at 'i gilydd. Toc, rydwi'n agor fy ngheg a llais cryglyd, dieithr yn dŵad i nghlustia i.

'Ga i ddechra yn y dechra? Mi dria i fod yn gryno.'

Ben yn nodio ac mi wn y funud yma mai am fy lles i'n unig y mae o'n meddwl.

★   ★   ★   ★

Rydwi wedi bod yn siarad am hydoedd a'r geiriau yn llifo fel yr Amazon dros raeadrau serth, weithiau yn dawel a gofalus, weithiau yn gweiddi mewn dychryn a chasineb.

'Ro'n i isio'i ladd o! Ro'n i isio 'i ladd o!'

Mae Ben yn llawcio ngeiria i'n anghredadwy a thawel. 'Un dwrnod,' medda finna, 'mi drodd y goriad yng nghlo'r bathrwm o'r tu allan, tra o'n i'n paratoi i fynd allan gyda ffrind o'r offis. Ro'n i wedi dechrau mynd allan ar ben fy hun weithia wedi i mi fynd yn ôl ato fo. Mi fûm i yno am ddwyawr. Doedd dim pwynt gweiddi a dyrnu ar y drws, fydda dim wedi ei symud o. Ac mi ro'dd y bobol oedd yn byw yn y fflatiau eraill wedi hen arfer clywed syna felly o'n fflat ni. Fydda neb wedi gneud dim yn ei gylch.

Mi agorodd y drws pan oedd hi'n rhy hwyr i mi fynd

allan. Dilynais o ar hyd y neuadd tua'r gegin. Ro'n i wedi penderfynu anwybyddu'r cwbwl, mi wyddwn y bydda fo yn teimlo'n fuddugoliaethus. Yn sydyn disgynnodd i lawr yn swpyn diymadferth, anymwybodol. Fedrwn i mo'i symud o. Ro'n i'n meddwl ar y dechra ei fod o wedi marw. Mi alwais yr ambiwlans a disgwyl amdani yn hir. Ro'n i wedi clywed na ddyla rhywun symud neb yn ei gyflwr o, na rhoi dim iddo i'w yfed. Doedd dim i'w neud ond aros. Ro'n i'n meddwl y bydda'r bobol drws nesa, wedi arfer ein clywed ni'n gweiddi, yn 'y nghyhuddo fi o'i ladd. Dyn a ŵyr fod y syniad wedi mynd drwy fy mhen i filwaith.

Aethant â fo i'r ysbyty ac es hefo fo yn yr ambiwlans. Doeddwn i ddim isio mynd o gwbwl ond ro'n i'n ddigon call i wybod y dylwn ymddwyn mor naturiol a chall ag oedd modd. Roedd o wedi cael strôc go arw. Mi gymerodd wythnosa i ddod ato'i hun a gwybod pwy o'n i. Yn rhyfadd iawn roedd yr wythnosa hynny yn rhai poenus hefyd. Pan ddaeth adre roedd yn rhaid i mi edrych ar ei ôl nos a dydd. Ddaeth neb o'i deulu i roi help llaw, a doedd gen inna neb i alw arnynt chwaith. Doedd o ddim yn medru siarad yn glir ond roedd o'n ddigon cry i udo fel blaidd yn y nos — pryd bynnag yr oedd o angen ei ddiod neu gael ei droi. Mi fyddai'n pwyso'n drwm arna i er mwyn fy mrifo i mi gael deall ei boen o. Dyna fydda fo'n ei ddeud beth bynnag. Chredwn i ddim y gallai o fod mor greulon yn ei salwch, ond dyna oedd ei natur o mae'n debyg. Fedrwn i byth fod wedi 'i newid o faint bynnag fyddwn i wedi trio gneud hynny.

Aeth saith mis heibio. Doeddwn i ddim yn gwbod fydda fo felly am byth ai peidio. Petawn i'n ei garu, fel y dyliwn i, mi fyddwn wedi bod yn hapus yn gweini arno a'i ddal yn gynnes ddiogel at fy mynwes am flynyddoedd. Ond nid felly yr oedd hi. Meddyliais am ei yrru i un o'r ysbytai oes, neu at ei chwaer i'r ysbyty meddwl. A deud y gwir ro'n i wedi penderfynu deud wrth y doctor y tro nesa y bydda fo'n galw am chwilio am le parhaol iddo mewn ysbyty.

Mi fu Nain yn sâl yn ein tŷ ni hefo salwch reit debyg. Yr adeg honno roedd pob un o'r teulu yn tynnu 'i bwysa ac yn helpu fel y galla fo. Mi fyddan ni'n medru chwerthin weithia pan oedd Nain yn deud rhywbeth gwirion, a chrio hefo hi hefyd pan oedd hi'n sylweddoli pa mor ddrwg oedd ei chyflwr. Mi fu farw a ninna i gyd o'i chwmpas hi, yn gafael yn ei llaw ac yn ei charu hi.

Mi fu Richard farw heb ddim o hyn. Y cwbl fedrwn i ei deimlo oedd gwaredigaeth ddiffrwyth, a dydi hynny ddim yn beth hawdd byw hefo fo chwaith.

'Mae o'r peth mwya naturiol yn y byd i ti deimlo felly, Siw bach,' medda Ben a'i eiria yn fy nghyrraedd dros gyfandir o iâ, yn bell, bell i ffwrdd.

Heb ddeud mwy mae o'n codi a mynd i'r gegin. Dod yn ei ôl toc hefo paned o goffi du.

'Fedra i ddim ffendio te.'

'Does gen i ddim,' medda finna o bellteroedd fy ymwybod. 'Fydda i ddim yn licio te. Diolch.'

Ben yn rhoi ei law drwy ngwallt i fel petawn yn hogan bach eto. Dydwi ddim yn arswydo chwaith. Ŵyr y cawr yma o ddyn byth faint o les wnaeth o i mi heno. Ro'n i wedi blino pan ddaethom adre o'r Cae Glas, ond rŵan ro'n i'n teimlo'n llipa hollol ac yn siŵr mai dŵr rhewllyd oedd yn rhedeg drwy ngwythienna i. Fesul diferyn yr oedd coffi Ben yn fy nghynhesu a daeth tawelwch braf drosta i.

'Wyt ti'n siŵr y byddi di'n iawn ar dy ben dy hun heno?' medda Ben, mor feddylgar ag arfer. 'Mi gei di ddŵad adra hefo fi â chroeso. Dydwi ddim yn teimlo y medra i dy adael di ar dy ben dy hun. Ma gin Mam bob amsar wely'n barod rhag ofn i rywun alw heb eu disgwl.'

'Ben bach, rwyt ti wedi gneud mwy na digon i mi'n barod. Fedra i byth ddiolch i ti.'

'Mae gen i deimlad y gnei di ryw ddwrnod. Beth am ddechra fory. Ddoi di am dro i Ben Llŷn?'

'O'r gora,' medda finna yn ufudd synfyfyriol. 'Gobeithio y bydd hi'n braf fory.'

'Mi fydd hi'n braf bob dwrnod o hyn allan, mi gei di weld.'

14

Bore da, medda Fo, yn 'i lawn hwyl.

Bore da, medda Finna yn teimlo'r un mor benysgafn.

Wyt ti wedi cynefino â'r sefyllfa newydd yma bellach?
Mae goblygiada'r adladd yn dod yn fwy amlwg bob dydd.
Does dim rhaid i ti gario dy gyfrinach ar dy ben dy hun
ddim mwy. Sut deimlad ydi hynny?

Bendigedig! Mi ddiflannodd yr unigrwydd hwnnw oedd
fel mwgwd amdana i mor hir. Mae'n rhaid mai dyna sut
yr oedd Houdini yn teimlo wedi ei lapio mewn sach
gwydn, myglyd, a'r cadwyna trwm wedi eu cloi o'i
gwmpas. Roedd yr olwg orfoleddus o lwyddiant a
rhyddhad ar ei wyneb wedi iddo wingo'i ffordd yn rhydd
o'i gell dywyll yn werth ei weld.

Nid dy gyfrinach di yn unig ydi hi mwyach, Siw. Rydwi
mor falch o hynny.

Naci, ond dydwi ddim yn siŵr ei bod hi'n iawn tywallt
'y nhrallod i ddwylo neb arall. Fy lle i ydi cario maich
fy hun. Does gen i ddim hawl llwytho fy mhoen ar Ben.

Rydwi'n meddwl ei fod o'n falch dy fod wedi gneud
hynny, medda Fo. Doedd y dyn druan ddim yn gwbod
beth i'w neud o'r blaen. Mae gen i syniad y bydd o'n
gwbod yn iawn beth i'w neud rŵan!

O na! Wyt ti ddim yn meddwl . . .

Falla.

Ond rydan ni wedi penderfynu mai perthynas brawd a chwaer fydda'r gora i ni.

Ond mae petha'n wahanol rŵan. Mae o'n gwbod dy fod yn rhydd.

Wnes i ddim rhoi syniada yn 'i ben o . . . naddo?

Dwyt ti ddim yn swnio'n siŵr iawn, mae'n rhaid i mi ddeud. Mae dyn yn gweld be mae o isio'i weld, ac yn clywed be mae o isio'i glywed.

Mae'r amsar wedi dod i mi feddwl am y dyfodol yn fwy clir. Mi fedra i neud hynny heddiw heb gael fy nhaflu'n ôl byth a beunydd i feddwl am ddigwyddiad creulon neu achlysur anghyfforddus. Rydw i'n dechra medru derbyn nad arna i roedd y bai am fethiant 'y mhriodas i, nac am greulondeb Richard. Dim ond un peth fyddwn i wedi medru ei neud — dod i'w nabod o'n well cyn ei briodi o. Falla y byddai o wedi dangos 'ei liwia' petaem ni wedi byw hefo'n gilydd am dipyn cyn priodi, fel y mae cymaint o bobol yn ei neud y dyddia yma. Ond fydda fo byth wedi cytuno â hynny chwaith, erbyn meddwl, ac ro'n i'n gwbod na fysa Mam a Dad wedi licio i minna neud hynny chwaith.

Mae'r postmon newydd alw gan wthio paced bychan drwy'r drws cefn â stamp Awstralia arno. Rhwygo'r papur a chael tâp ynddo a nodyn gan Mam. Ma'r nodyn yn llawer mwy naturiol heddiw, yn siarad am y petha fyddan nhw'n ei neud bob dydd ac am i mi ddod atyn nhw cyn gynted ag y bydda i'n barod. Rhoi'r tâp yn y peiriant bach du, fy mysedd yn crynu. Beth sydd ar hwn tybed? Rhoi fy mheneliniau ar y bwrdd o flaen y ffenest ffrynt, edrych tua'r môr ar yr olygfa ora yn y byd, cau fy nyrnau'n dynn a'u gwthio dan fy ngên a disgwyl i'r tâp dywallt ei leisiau melys i fy nghalon.

'Fi isio siarad 'fo chdi cynta,' meddai llais ifanc swil. 'Fi di Elin a fi'n dau oed. Ma Mam deud bod chdi Anti neis ond fi isio gweld chdi. Ma llun Anti neis ar bwr gwely yn tŷ Nain. Ma Nain rhoid da-da i fi a doli Sinderela a sgidia ffwtbol i Jon a lot o llyfra i Mathew. Nath ci Dad frathu coes Taid ddoe.'

'Shhhh, wt ti ddim i fod i ddeud hynna,' sibrydodd llais arall gan geryddu'r ferch fach.

'Ma Taid iawn h'iw,' meddai Elin eto. 'Doctor rhoi jections i Taid. Chi dŵad i tŷ ni Anti Siw.'

Sut mae hi'n bosib gwrthod dim i hon!

'Helô, Anti Siw, Mathew ydw i, a fi sy'n mynd i'r ysgol yn ymyl Nain a Taid. Ma Nain 'di dysgu fi i ddarllen. Pan dach chi'n dŵad i tŷ Nain ga i lot o lyfra Cymraeg o Cymru plîs? Fi isio darllan Cymraeg fath â Nain. Di Ben dim isio siarad Cymraeg, so mae o di mynd i chwara 'fo Fflos, ci defaid ni. Rŵan ma Mam isio siarad cyn i'r tâp orffan.'

'Siw, Siw, wn i ddim be i ddeud wrthat ti'n iawn. Mae clywed gennyt eto wedi bod yn fendigedig. Pan ddeudodd Mam dy fod yn meddwl dŵad yma at y gwanwyn roedd pawb wrth eu bodd. Fel y clywaist, mae'r plant 'ma yn dechra paratoi yn barod. Dydi'r un ohonyn nhw yn gwbod be ydi cael perthnasa a fedran nhw ddim dallt sut mae gan bawb arall amal i ewyrth a modryb a nhwtha heb 'run. Mae Elin yn iawn. Mae dy lun di wedi bod o gwmpas y'n tai ni rioed. Ys gwn i sut wyt ti'n edrych rŵan, Siw? Ma ngwallt i bron yn wyn — fedri di guro hynna? Mi rown i rywbeth i feddwl dy fod wedi bod mor lwcus â fi. Rydan ni'n gweithio'n galad ond rydan ni'n hapus iawn. Ella y medran ni ffendio Awstraliad cry i ti — beth amdani!'

Catrin! Catrin! gwaeddaf inna ar y peiriant gan deimlo ngwrychyn yn codi. Pam ma raid i ti ddeud hynna fel tae dal dyn yn mynd i ateb pob problem.

'Bu bron i Mam a finna ddŵad i chwilio amdanat ddwy flynedd yn ôl. Biti na fysan ni wedi gneud hynny. Mi fedran ni fod wedi dod â chdi yn ôl hefo ni bryd hynny.'

Yr un wyt ti o hyd Catrin, medda fi wrth y tâp, tra mae llais Catrin yn dal i fynd yn ei flaen yn sôn am hyn a'r llall — y petha y mae bywyd pobol gyffredin yn llawn ohonyn nhw. Y petha y dylai mywyd i fod yn llawn ohonyn nhw erbyn hyn. Roedd popeth yn syml erioed i Catrin. Roedd hi bob amser yn gwybod beth oedd hi eisiau o'i bywyd. Y drwg oedd ei bod yn meddwl fod pawb arall eisiau yr un peth â hi!

Dyma hi yn barod yn dechrau sôn am sortio mywyd i allan yn dwt a chyfforddus heb amau am eiliad nad oeddwn i eisiau'r un peth. Dydi hi ddim yn iawn y tro yma. Os ydw i am fod yn gry mi fydd yn rhaid i mi gael atebion parod i'w syniada hi o 'fyw yn hapus byth wedyn'. Fedra i ddim gweld fy hun yn setlo yn Awstralia 'run fath â nhw, rywsut. Mi af yno am wylia, rhai misoedd falla, ond yn fy ôl y do i.

★   ★   ★   ★

Chwarae'r tâp i Ben ei glywed pan ddaeth draw y pnawn Sul canlynol. Roedd o'n cadw ei ran o o'r fargen, ac yr oedd y berthynas yn fy siwtio i'n iawn. Ond mae o'n un ffeind ac annwyl!

'Beth am yr Awstraliad 'ma y ma Catrin am ei gyflwyno i ti?'

'Siarad chwaer fawr ydi hynna. Mi fydd yn rhaid i mi sgwennu iddi a gneud iddi ddallt mod i'n ddigon bodlon ar ben fy hun. Wna i ddim aros yn Awstralia, Ben, mi ddof yn ôl, rydwi'n siŵr o hynny. Chwilio am swydd heb fod yn rhy uchelgeisiol a chwara fy rhan o gwmpas y lle fel y medra i.'

'Lle fydd hynny felly? Wyt ti wedi penderfynu?'

Mae Ben yn dangos diddordeb yn fy nghynllunia i.

'Lle bynnag y ca i swydd, mae'n debyg.'

'Dechra o'r newydd, mewn ardal newydd a neb yn dy nabod eto? Roedd hi'n ddigon anodd dod yn ôl i'r fan hyn i ailgydio a thitha'n nabod y lle.'

'Oedd, ond diolch i ti a Sioned a'r plant, rydwi'n dod ata fy hun yn werth chweil. Wn i ddim sut i ddiolch i chi i gyd. Mi fedra i roi anrhegion i'r plant yn ddigon hawdd a mi fyddan nhw'n dallt rywsut. Oes yna rywbeth fedra i ei neud i Sioned a chdi?'

'Mi wn be fysa'n gneud Sioned yn hapus — cael cyfle i Arthur a hitha gael penwythnos ar ben eu hunain.'

'Dyna syniad ardderchog! Mi fedrwn drefnu hynny gyda'r asiant trafaelio.'

'Doeddwn i ddim yn meddwl i ti dalu am y gwylia, ond edrych ar ôl y plant iddyn nhw.'

'Mi fedrwn neud y ddau beth yn hawdd. Mae gen i hynny o bres fydd arna i ei angen a thipyn dros ben. Mi fyddwn wrth fy modd yn ei ddefnyddio i neud rhywun yn hapus. Beth amdanat ti, Ben, fedra i . . .?'

Brathu nhafod wrth sylweddoli mod i ar fin agor drws yr o'n i wedi bod yn trio fy ngora i'w gadw ar glo.

'Does gen i ddim isio dim, Siw. Pan welais i chdi ar y cei y dwrnod cyntaf hwnnw ches i erioed gymaint o ddychryn. Ro'n i'n meddwl mai twrist yn bwydo'r gwylanod oedd yno ar y dechra. Ond roeddat ti'n edrych mor sâl ac anhapus ac unig, mi wnaeth rhywbeth i mi dy ddilyn i'r caffi. Wrth edrych arnat ti heddiw, dy focha'n dechra cochi, dy gerddediad yn ysgafnach a'th sgwrs yn ddiddorol, fedra i ddim deud wrthat ti pa mor falch rydw i. Mi wn dy fod am fynd i Awstralia — mae'n rhaid i ti fynd.'

'Oes . . . ac mi rydwi'n barod i fynd erbyn hyn.'

'Mi gaet swydd yn eitha hawdd ffor hyn hefo dy gymwystera di.'

'Wyt ti'n meddwl?'

'Fydda ddim rhaid i ti fynd i swyddfa. Mae athrawon Mathemateg mor brin â dail gwyrdd ar goed derw yn y gaea.'

'Mi hoffwn wneud hynny.'

'Mi ddoi yn ôl aton ni felly, Siw?' Roedd y fath erfyn yn ei lais.

'Falla.'

Rydw i'n dechra meddwl 'i fod O yn iawn. Mae Ben yn gofyn ei gwestiyna'n ofalus, yn rhy ofalus, gan drio darllen 'y meddylia fi yr un pryd, 'run fath â seiciatrydd yn cloddio i ddaear drwblus meddwl ei glaf. Ond ddyliwn i ddim chwarae hefo'i deimlada fo fel cath gyda llygoden newydd ei dal, dydi o ddim yn haeddu hynny. Gobeithio nad ydi o'n meddwl mod i'n chwarae ta beth. Dydwi ddim ond yn dechra meddwl yn glir ac yn chwilio am fy rheswm eto.

Mi ddylat fod yn barod gyda dy atebion felly, medda Fo. Rwyt ti'n barod wedi gwylltio hefo Catrin am drio gwneud dy feddwl i fyny drosot.

Rydwi wedi byw yn fy myd bach fy hun yn rhy hir falla, medda Finna. Mae o'n gul ar naw, yn tydi?

Erbyn i ti ddeud, mae'n rhaid i mi gytuno hefo chdi. Agor dy lygaid yn fwy felly, Siw bach, agor nhw ac edrych ar be sy o flaen dy drwyn di. Fedri di ddim byw dy fywyd heb fod ystyr iddo, a dim ond y chdi fedar benderfynu be fydd yr ystyr hwnnw.

Mi fedrwn helpu pobol sy wedi diodda 'run fath â fi. Ydi hynna'n ystyr digonol?

Ddyliwn i ei fod, medda Fo, ond mae'n rhaid i ti wrth dy fywyd llawn dy hun, fedri di ddim byw yn ddigonol hapus drwy fywyd pobol erill.

Na, rwyt ti'n iawn, bywyd gwag annaturiol fyddai hwnnw hefyd.

Edrych ar Ben. Hwnnw'n dal i eistedd ar fin y gadair galed wrth y bwrdd bach crwn o flaen y ffenest. Fedrwn i ddim gweld ei wyneb o'n iawn erbyn hyn; roedd y cymylau glaw yn dechra hel wrth ben y Garn, ac yn bygwth cawod gan wneud iddi nosi cyn ei hamser. Cododd ar ei draed yn sydyn. Pan gâi Ben syniad byddai'n gweithredu arno yn y fan a'r lle!

'Tyd, rydan ni'n mynd allan i ginio. Chei di ddim deud ''na'' heno.'

'Mi fydd yn well i mi newid felly.'

'Rwyt ti'n edrych yn iawn fel rwyt ti i mi.'

'Ond . . .'

'Ond dim byd.' Roedd ei lais yn benderfynol. 'Y fi sy'n mynd i benderfynu be ydan ni'n mynd i'w neud heno.'

Agor y drws a nhywys i'r car ac agor y drws i mi fel y bydd dynion mewn iwnifform yn ei wneud i dywysoges ar ei ffordd i ddawns. Pan mae hwn yn cymryd yr awena rydw i'n teimlo mod i'n cael fy mwytho ac roedd hi'n hawdd gorwedd yn ôl a gadael i li ei garedigrwydd 'y ngharlo i yn ei gôl.

*   *   *   *

Mi bryna i dŷ digon mawr i deulu — rhag ofn. Mi bryna i ddodran cry na fydd ots os bydd plant neu anifeiliaid yn eu cam-drin a neidio drostynt. Mi gynllunia i'r ardd fel y bydda Dad yn ei neud, yn lliwgar gyda digon o laswellt i chwarae arno a sêt i'r hen bobol eistedd arni'n gyfforddus i wylio'r hwyl. Mi ddaw'r teulu yn ôl i ngweld i bob ha, ac mi gawn gadw nabod ar ein gilydd am byth. Rydw i'n lwcus, rydwi wedi hercian yn anystwyth drwy'r twnnel hir, du, ac yn awr yn medru mwynhau'r heulwen yr ochr arall. A phan ddo i'n ôl . . .

*   *   *   *

Mae Ben yn fy nanfon i faes awyr Manceinion, fy helpu i gario mhacia a gneud yn siŵr mod i'n darllen y sgrîn iawn am y cyfarwyddiada. Mynd at y giât. Gafael yn ein gilydd yn dynn am hir, heb ddeud gair, gafael yn ei law hyd y funud olaf, gwthio nodyn yn llawn cariad a gobaith i boced ucha 'i gôt felfaréd, troi wrth y giât bella a gweld Ben yn estyn ei freichiau ataf fel y gwnes i ganrifoedd yn ôl pan aeth Mam i Awstralia. Ond rydwi'n gwybod ystyr yr ymbil.

Gweiddi mor uchel ag y medrwn.

'Mi ddo i'n ôl atat ti, Ben,' ac yntau'n gwenu fel petawn wedi ei drochi gyda holl emau Arabia.

Diolch i ti o waelod 'y nghalon, medda Fi. Chafodd neb well bagla i'w cynnal na chdi.

Mi wnaethom ein gora hefo'n gilydd, mae dau feddwl yn well nag un bob amser, meddan nhw, medda Fo gan ddangos ei gefnogaeth arferol.

Rydan ni uwchben y cymyla erbyn hyn. Yma, ma'r awyr bob amser yn las ac mae rhimynnau arian ceidwaid y glaw yn rhwyd esmwyth i'n dal rhag i ni ddisgyn eto.

Law yn llaw, medda Fo.

Law yn llaw, medda Finna.